Dawnsio Gwirion a'r Duw Rhyw

CW00859491

Dawnsio Gwirion a'r Duw Rhyw

Siân Summers

DREF WEN

I Beth ac Awen Lili – y ddwy lŵn anwylaf dwi'n nabod!

Siân x

Cyhoeddwyd gan Wasg y Dref Wen,
28 Ffordd yr Eglwys,
Yr Eglwys Newydd, Caerdydd CF14 2EA
Ffôn 029 20617860

Argraffwyd ym Mhrydain.

Dydd Llun, Gorffennaf 20fed

09.30

Be *ydi* problam pawb? Ma' hi'n 9.30, bora cynta'r gwylia – ia, *gwylia* ddudish i – a ma' pob aelod o nheulu fi'n trampio i mewn i'n llofft i, fath yn union â tasa nhw ar blatfform stesion Bangor … Mam sy gynta.

'Sadie, dwi isio i chdi roi golch *gwyn* i mewn erbyn deg, 'i dynnu o allan erbyn 11.15, a lliwia'n *sdrêt* i mewn wedyn. Gwyns ar lein gynta, erbyn 11.20 man hwyra, a lliwia'r *munud* ma' nhw 'di sychu. Paid â disgwyl iddyn nhw grasu. Ma' isio gneud y gora o'r haul 'ma tra bydd o, *chop chop…*'

Tydi hi'm 'di cymryd 'i gwynt. Onest tŵ god, ma'r ddynas yna'n od! Ma' hi'n martsio allan cyn i mi gael cyfla i ddeud *Ia ssyr!* Dwi *jest* yn cwtsho lawr o dan y dwfe eto pan ma' ateb Cymru i Ant a Dec yn cyrraedd (blaw bo nhw ddim yn ciwt nac yn ddigri). Dad ac Yncl Kenny. Ma' nhw'n bownsio trw'r drws fatha dau *spacehopper* anferth. Heb gnocio na dim. Dwi 'di swnian a swnian am gael clo ar yn stafell … *I mean*, dio'm yn iawn bod dynion diarth yn fy llofft i pan dwi'n gwisgo pyjamas pinc *Forever Friends,* nac 'di?

'Wei-*hei Sei*-di!' medda Yncl Kenny. Hen jôc, a toedd hi'm yn ddigri'r tro cynta. Peth nesa, mae o wrthi'n cosi nhraed i o dan y dwfe! Dwi'n 'u tynnu nhw o'i afael o, a dwi'n deutha fo'n blaen – 'Gwff *llnwff* i ffi!' Gadwch *lonydd* i fi 'dwi'n feddwl, ond mae'n anodd siarad efo hannar tunnall o dwfe yn dy geg.

'Yn y bora ma'i dal hi, *Sei-di*! Ac ma' hi'n fora *braaaf* iawn yn Maes y Perthi, a'r crrrroeso'n g-g-gynnes efo ni drrrrwy'r dydd. 'Rhoswch efo ni am hwyl a sbri …!'

Ma' Yncl Kenny'n gneud shifft ar radio'r 'sbyty ddwywaith yr wythnos, ac mae o'n meddwl mai fo 'di'r

Jonsi nesa. Pff! Sgynno fo ddim siawns! Mae o mor *embarrassing*. Fo a Dad ydi'r dybl act gwaetha ers John ac Alun …

Yn sydyn, ma' nhw'n rhwygo'r dwfe oddi arna i ac yn troi'r fatras nes dwi'n swp ar lawr, ac ma' mhyjamas *Forever Friends* i yn yr awyr agored i bawb gael eu gweld nhw. *Cywilydd!* Dwi'n gorwedd yna am 'chydig, yn hollol lonydd, yn gobeithio'u bod nhw'n meddwl bo nhw 'di gneud niwed difrifol i mi. Hwyrach wnân nhw ddifaru, dal fy llaw, crio mawr, math yna o beth … Dim ffiars! Ma' Yncl Kenny'n piffian chwerthin fatha hogan, a Dad yn pwnio fi yn fy ochor fatha buwch.

'Ty'd rŵan. Coda! Ma' gen ti ddiwrnod *cyfan* o dy flaen!' Twyt ti'm isio'i wastraffu o'n fa'ma, nagoes, Plwmsan?'

Reit! Dyna fo! Dyna ddigon! 'Fy newis *i* 'di be dwi'n wastio, 'y ngwylia *i* ydyn nhw, a *ngwely* fi ydi hwn hefyd! A Sadie ydi'n enw fi, dim … dim … Plw …' Ma' ngheg i'n gwrthod deud y gair yna. Dwi'n penderfynu mai'r cynllun gora ydi sdompio heibio nhw i'r bathrwm efo nhrwyn yn yr awyr, ond wedyn ma' mhen-glin i'n mynd slap i mewn i'r drors bach wrth ymyl y drws gan 'mod i'm yn sbio i ble dwi'n mynd, a ma' Dad ac Yncl Kenny'n dechra piffian chwerthin eto.

'Erbyn i mi ddod nôl o'r bathrwm, dwi'n disgwyl gweld fy llofft yn … yn … yn berffaith daclus!' Hy! Dyna ddangos iddyn *nhw.*

Jest wrth i mi gyrraedd y bathrwm, dwi'n clywed y sarjiant … Mam … yn gweiddi o'r drws ffrynt.

'Sa-die! Cofia roi mlows biws i yn y tymbl. Am *bum* munud, dim mwy a dim llai. Ar *cynnas*. Dwi isio'i gwisgo hi heno. A Sa-die! Ma' hi rŵan yn 9.48 ar ei ben. Ma' gen ti ddeuddeg munud!' A ma' hi'n slamio'r drws. Ma' Dad yn gweiddi ar ei hôl hi 'Glen …*Glen*!' ond ma' Mam 'di mynd.

'Di hynny'n ddim byd newydd yn ddiweddar. Hei-ho! Ma' Mam wedi troi'n *speaking clock.* Ma' Dad wedi colli'r plot. Ma' Yncl Kenny wedi dianc o garchar troseddwyr yn erbyn comedi! Chwech wythnos o hyn? Ella bydd raid i mi ladd fy hun …

10.15
Pan dwi'n dod nôl o'r lôndret lawr grisia, ma'n llofft i'n edrych fel Irac ar ddiwrnod gwael. Ma' Dad ac Y.K. wedi diflannu. Dwi'n meddwl bod nhw'n yr ardd yn trafod rhododendrons neu rwbath. Wrth gwrs, toedd 'na neb yn cadw llygad ar Hayley, nacoedd? Ac ma' hi wedi tynnu pob mymryn o *make up* allan o'r cês bach arian gesh i'n anrheg Dolig, ac wrthi'n plastro fo ar ei gwynab hi. Yn waeth na hynny, ma' hi 'di gadael Elfis i mewn a bwydo hanner fy lipstic *Pink Dazzle* gora fi iddo fo. Mae o'n glafoerio fel tasa fo 'di cael llond powlan o *Chum*, ond ma' i geg o'n slic pinc i gyd. Ma' 'na rwbath ych a fi iawn mewn Alsatian yn gwisgo *lipgloss*.

Toes ganddi hi mo'r help, Hayley. Pedair a hanner ydi hi a gwallt cyrls hir melyn a llgada glas fel soseri. Ma' hi'n gwenu arna i. 'Isio edrach fel prinsés,' medda hi. Ma' hi'n edrych yn debycach i dreiffl, ond dwi'm yn deud hynny wrthi, 'mond mynd ati i dynnu'r stwff i gyd efo *Clearasil* nes ma' hi'n binc ac yn ddel unwaith eto.

'A golchi Elfis ŵan,' medda hi. Elfis! Lle goblyn mae o? Yn sydyn, dwi'n clywad sŵn od yn dod o'r gongl. Ma' 'na slwtsh pinc afiach ar hyd y *beanbag* streips pinc a gwyn gesh i gen Anti Trace ar fy mhen-blwydd yn ddeuddeg. Dwi'n gwylio wrth i Elfis boeri gweddill y slwtsh o'i geg, cyn setlo ar y *beanbag* am *snooze*! Ma' gan y ci 'na broblema difrifol … ond does 'na'm rhyfadd chwaith, a fynta'n byw yn y tŷ yma.

7

11.40

Reit! Dwi 'di clirio pobman, ma'r gwyns ar y lein, a'r ail
lwyth i mewn. Ma' Hayley'n chwarae efo Ben drws nesa, a
dwi'n cadw llygad arnyn nhw drwy'r ffenest achos tydi
mam Ben, Nicola, byth yn gneud. Ma' Mam yn deud ei bod
hi'n *obsessed* efo *bleach* achos ma' hi byth a hefyd yn llnau.
Ar hyn o bryd, fydd hi'n gneud rwbath gwirion fatha llnau'r
grât efo brwsh dannedd, a phan welith hi fod Ben yn fwd o'i
gorun i'w sawdl, geith hi ffit! *'Bag o nerves,'* dyna ydi hi,
medda Dad.

Dwi'm 'di cael cyfle i ddechra'r dyddiadur 'ma'n iawn! Mi
o'n i'n mynd i roi teitl iddo fo, a chyflwyniad a bob dim, ond
wedyn mi ddoth y Teulu o Uffern i mewn a sbwylio popeth.
Dyma ni 'ta, tra ma' gen i lonydd.

DYDDIADUR HAF SADIE WYN JONES

Rydw i, Sadie Wyn Jones, wedi penderfynu cadw
dyddiadur dros wyliau'r haf. Dwi'n addo sgwennu bob
dydd a bod yn hollol onest am bopeth sy'n digwydd.
Amen ayb.
S. W. Jones, 13 (a deg mis a hanner)

Ma' Mrs Elin Huws, Cymraeg, yn deud 'i fod o'n bwysig
i ni ddeud *pam* 'dan ni'n cadw dyddiadur ar y dechra – a pha
fath o ddyddiadur ydi o. Mae o fel gneud bargen, medda hi
– fedri di neud bargen efo chdi dy hun? Eniwê, fy margen i
ydi mod i am sgwennu sut dwi'n teimlo am betha a gneud
hynny'n onest ac yn synhwyrol. Ma' rhai o'r *aliens* yn
rysgol, a Mam a Dad hefyd ran hynny, yn deud mod i'n
gorymateb i bob un dim, a mod i'n siarad yn ddi-stop.

8

Dwi'n anghytuno hefo hynny, wrth gwrs. Lŵnrwydd ydi o. A bydd y dyddiadur yma'n profi hynny. Felly dyna 'di margen i a dwi'n mynd i sdicio ato fo, a'r peth gora am y dyddiadur yma ydi mai *jest* i fi mae o – wedyn toes 'na'm rhaid i mi sgwennu'n neis-neis a sillafu'n iawn. Hip hip ayb.

'Ddylset ti fwynhau sgwennu dyddiadur, Sadie,' ddudodd Mrs Huws. 'Ma' gen ti ddychymyg byw, a ti'n hoffi rhannu pob manylyn o bob stori hefo dy ffrindia!'

Hahaha … *Mi-aw* Mrs Huws! … Be 'di dychymyg byw? Ydi o fel iogyrt byw? Y *bifidus* peth'ma sy'n helpu chdi *fynd* yn rheolaidd? O Ddirgelion Mawr Y Byd . . .

Aww! Ma' Nicky Bag o Nerves yn sgrechian. A ma' Ben yn edrych fatha hogyn bach llnau simna erstalwm. Well i mi fynd …

12.55

Och a gwae! Trychinebus ddydd a'r holl siabang yna. Tra mod i'n trio tawelu Nicky Bag o Nerves drwy droi'r hôs ddŵr ar Ben, mi anghofish i ddiffodd y tymbl. Wel, dim fy mai i oedd o, naci? Bai Mrs-dwi'm-yn-cyrraedd-cefn-y-popty am gael ffrîc. Erbyn i mi gofio am y tymbl, roedd blows biws Mam tua'r un faint ag un o ddillad babi dol Hayley.

Ma' 'na bosibiliad go-iawn fod fy mywyd i ar ben!

Yr eiliad yna, ma' Taylor yn llusgo heibio i mi, yn sylwi ar ddillad doli Mam, ac yn deud 'Ti'n *dead*, Sadie!' Diolch, Taylor. Gymra i lilis ar fy medd.

13.00

Neu rosod. Rhai gwyn. A chrysanths melyn golau. A llwyth a llwyth o ddagrau a sterics.

13.05

Neu jest rhowch fi ar gwch, a'i roid o ar dân. Dyna oedd y

Llychlyns 'na o Norwy'n neud, yndê? Ia. Ewch â fi lawr at y Fenai a rhowch fi yn yr hen dingi yna sy'n y sied, a jyst gwthiwch fi allan i'r dŵr ...

13.15

Dwi 'di trio rhoi stretsh ar y flows, ond ma' hi rŵan yn edrych fel blows Ieti, efo breichia at y llawr. Dwi'n meddwl 'i bod hi'n reit trendi, ond dwi'm yn meddwl y bydd Mam yn cytuno. O be 'na i? ... Dwi'n gwbod. Ffonio Joanne.

13.17
'Jo?'
   Tawelwch.
   'Jo, ti yna?'
   'Ma' Jo wedi gadael yr adeilad,' medda Jo.
   'O olreit – Jojo 'ta. Fedri di ddod draw?'
   'Rho awr i mi gael bàth a . . .'
   'Rŵan! Ma' hyn yn argyfwng! A. R. G. Y...'
   'Ia, *oreit*. Sgennai'm isio gwersi sbelio gin ti. Fydda i yna mewn deg ... 'Di Taylor adra?'
   'Nac'di.' Celwydd, ond am reswm da.
   'Fydda i yna mewn un deg saith 'ta.' Dydi hi'm yn coelio fi. '*Ciao*!'
   Ciao? Fflipin *ciao*? Ers pryd ma' pobl yn deud *ciao* yn Llanfor?

13.32

Toes 'na'm golwg ohoni. Lle *ma'* hi? Dim ond 27.9 eiliad ma' hi'n gymryd i redeg draw.

13.44

O'r *diwedd*! Jo'n cyrraedd mewn jîns melyn tri-chwarter a hanner tunnell o White Musk. Ma' hi 'di gneud 'i hun i fyny

– masgara, *eyeliner*, *lipgloss*, y cwbl. Ma' hi hyd yn oed 'di peintio'i gwinedd!

'Iawn ta, lle ma'r tân?' medda hi, yn cŵl braf.

'Lle ti 'di bod, Jo? Ma' mywyd i mewn peryg!'

'Jojo, plis. Os wyt ti *isio'n* help i ...'

'Wrth gwrs mod i. Gwranda, o'dd Uber Fuhrer yn mynnu mod i'n gneud golch hanner y pentre bore 'ma, ond mi ga'th Nicky Bag o Nerves ffit arall tra o'n i'n ... be ti'n *neud*?'

Ma' gwên wirion ar wyneb Jo wrth iddi sbio dros fy ysgwydd i gyfeiriad fyny grisia lle ma' synau bwm-bwm yn dod o stafell Taylor.

'Ddudis di fod dy frawd allan.'

'Dim ond achos bod hi'n argyfwng. A.R.G ...'

'Gesh i 81% yn y prawf Cymraeg dwytha, Sadie ...'

'Dwi 'di shrincio blows newydd Uber Fuhrer. Ma hi isio'i gwisgo hi heno. Neith hi mwyta fi'n fyw a thaflu'r sgraps i fowlen Elfis.'

'Wel, pam na ddudis di? ... Lle brynodd hi'r flows?'

'*Macsi.*'

'Dim problemo. Sgen ti bres bws?'

17.37

Ma' Jo newydd fynd. Sori Jojo. Naci Jo. Jo 'di enw'r hogan, 'dio'r ots be ddudith hi! (*D.S. cofio sôn am ffantasïau Jo am ennill *Pop Idol* erbyn 2009.) Yn y diwedd toedd petha ddim rhy ddrwg, diolch i Anti Trace deud gwir. Y hi ydi rheolwraig *Macsi*, siop ddillad trendiaf (gair Sadie 'di hwnna, dim gair go-iawn) y dre. Roedd Jo fel ciwc o cŵl pan aethon ni i mewn.

'Hai Anti Trace!' medda hi. Ma' *pawb* yn galw hi'n Anti Trace.

'Jo. Be fedra i neud i ti?'

Roedd hi wrthi'n gwisgo un o'r *mannequins* mewn

cymysgedd o wyrdd a browns, a bŵts cowboi. 'Swn i'n licio bod yn *mannequin* weithia. Mi fasa bywyd gymaint haws …

''Dan ni'n chwilio am flows. I Sadie,' medda Jo yn bwysig i gyd. 'Un biws. Efo patrwm glöyn byw ar yr ysgwydd. Seis deg. Sgynnoch chi un, digwydd bod?'

Tydi Anti Trace ddim yn wirion. Mi ro'th hi'r sgarff a'r freichled cerrig gwyrdd 'ma am arddwrn y *mannequin* cyn troi aton ni, a jyst sbio am yn hir heb ddeud gair. Wedyn, dyma'i hwyneb hi'n crensian yn wên i gyd.

'Blows? Biws? Seis deg ddudis di?'

'Ia, 'na fo.' Oedd Jo yn trio bod yn bendant, ond roedd hi'n amlwg ei bod hi'n gwegian. Y peth nesa, roedd Anti Trace yn sbio'n galed arna i, a'i phen hi'n mynd i fyny ac i lawr.

'Ti'n *siŵr* mai seis deg wyt t'isio, pwt?' medda hi wrtha i, tra bod ei cheg hi'n cael jôc fach breifat. Deimlish i ngwyneb yn mynd yn fflamgoch. Chwara teg i Jo, mi nath hi drio cadw fy ochor i.

'Be 'dach chi'n drio neud, Anti Trace? Gneud Sadie'n anorecsic ne' rwbath? Ma' hi'n berffaith iawn fel ma' hi!'

'Wrth gwrs ei bod hi. Ma'r hogan yn dal i dyfu, yndwyt pwtan?'

Aeth fy fflamau'n fflamgochach.

'Ond wâst o bres fasa prynu blows sy ddim yn *ffitio*, yndê? … Os na 'dach chi'n ei phrynu hi i *rywun arall*? Ysti, Sadie, nes i werthu blows debyg i dy *fam* o bawb. Wythnos dwytha, cofia. Dyna i ti gyd-ddigwyddiad, yntê?'

Daeth y gwir allan yn un lwmp wedyn. Ac roedd Anti Trace yn ffantastig. Ro'th hi flows arall i mi, a ga i dalu amdani bob yn dipyn fesul wythnos, medda hi. Ella ga i helpu hi efo sortio stoc rywbryd, ac yn lle tâl neith hi gymryd pres odd'ar y flows. A ddudith hi'r un gair wrth Uber Fuhrer chwaith! Dwi wrth fy modd efo Anti Trace.

Pam na fedar Mam fod yn debycach iddi? *I mean*, ma' nhw'n ddwy chwaer. I fod … hwyrach fod 'na gamgymeriad 'di bod. Yn 'sbyty. Falle bod Nain wedi cael y babi rong. Falle bod rhieni go-iawn Mam yn bobl ofnadwy! Yn cymryd cyffuria ac yn dwyn ceir! Neu falle bod nhw'n rhan o'r maffia! Neu'n *aliens!* … Dyna sy fwya tebygol, achos dydi Mam ddim yn dod o'r blaned hon. Yn sicr bendant!

17.39
Os ydi Mam yn *alien*, ma' hynny'n golygu mod *i'n* hanner *alien* hefyd. Neu falle mod i wedi cael fy mabwysiadu, oherwydd bod *aliens* yn methu cael plant? Dwi'n clywed sŵn goriad yn y drws. Ma' hi'n ei hôl! … A fydd Sadie'n llwyddo yn ei chynllun beiddgar yn erbyn y Fuhrer? Ymunwch â ni nes ymlaen am y diweddaraf o Faes y Perthi …

22.42
Sadie – 1, Sarjiant – 0! Haha! Lyncodd hi'r cyfan heb amau dim. Nath hi hyd yn oed ddiolch i mi am smwddio'r flows, ond oedd hi ar gymaint o frys i gael bàth a gadael tŷ, toedd 'na fawr o amser ganddi i sbio prun bynnag. Ma'r *'noson allan efo'r gens'* fel ma' hi'n ei alw fo (trist iawn, feri sad!) yn digwydd bob wythnos erbyn hyn. Toedd hi'm yn arfer mynd allan gymaint, ond ers iddi ddechrau'i job newydd yn 'sbyty, ma' ganddi hi lwyth o ffrindia newydd. Ma' pawb angen ffrindia, am wn i, ond oedd well gen i Mam heb rai!

Tydi hi'm yn ei hôl eto. Ma' Pops lawr grisia yn gwylio *Big Brother* tra bod o'n disgwyl amdani. Fydd 'na ben maen mawr bore fory …

13

Dydd Mawrth, Gorffennaf 21ain

10.17

Dwi 'di dod nôl i ngwely efo *Ribena* poeth. *Y* peth gora pan ti'n teimlo fymryn yn giami. Pan o'n i'n fach oedd Mam yn arfer dod â *Ribena* i mi pan o'n i'n sâl, ac o'n i'n cael mynd i gysgu'n ei llofft hi a Dad a gwylio *This Morning* a chael caws ar dôst yn y gwely. O'n i'n mwynhau gymaint, weithia o'n i'n esgus bod yn sâl ar ddydd *Sadwrn* hyd yn oed, am y baswn i'n cael tendans … Ond wedi blino ydw i bore 'ma, dim sâl. Chesh i'm llawer o gwsg neithiwr, diolch i fy rhieni annwyl. O'n i yng nghanol breuddwyd *ofnadwy* o braf am Orlando Bloom pan ddeffrish i. Clywed sŵn ffraeo lawr grisia nesh i. Tydi hyn ddim byd newydd yn y caetsh mwncwns dwi'n ei alw'n gartre, wrth gwrs, ond aeth o mlaen am oes tro 'ma. A phan sbïsh i ar y cloc bach pinc gesh i gen Jo ar 'y mhen-blwydd, oedd o'n deud 1.45. Aethon nhw ddim i'w gwlâu tan 2.30. Mi faglodd Mam ar y ffor' i fyny a glywish i Dad yn deud 'Ddylia bo gen ti gwilydd … ar nos *Lun*, Glenda!' a Mam yn dechra cega'n ôl ond wedyn mi gaeodd drws y llofft yn glep ac aeth popeth yn dawel.

Ma' Mam 'di mynd i'w gwaith bore 'ma, er ei bod hi'n edrych fel drychiolaeth. (Dwi'm yn siŵr iawn sut mae drychiolaeth *yn* edrych. Rwbath ma' Nain yn ddeud ydi o, ond dwi'n gwbod fod o ddim yn cŵl!). Pan ofynnish i Mam pam bod hi a Dad yn ffraeo, ddudodd hi 'Ffraeo? Be haru chdi? Breuddwydio oeddat ti, siŵr!' O'n i'n teimlo fel deud mai hi a Dad styrbiodd fy mreuddwyd i *actually*, ond nesh i ddim. Weithia toes 'na'm pwynt cega'n ôl, nacoes? Wedyn ro'th hi drops yn ei llygaid, a ffwr â hi drw'r drws.

12.50

Chwerthish i gymaint jyst rŵan, fu bron i mi dorri asen. Oedd Hayley a fi ar y ffor' nôl o'r parc a dyma ni'n pasio

heibio tŷ y Ddwy Nodwydd. Dwy chwaer ydyn nhw, a ma'
nhw tua 800 mlwydd oed ac yn hollol dwlali. Ma'r ddwy
ohonyn nhw'n *boncyrs* am weu. Wir yr. Gymaint felly nes
ma' nhw'n *edrach* fel dwy nodwydd weu hir … a hyll! Ma'
nhw'n gwisgo cardigans llwyd at y llawr a sgertia ma' nhw
wedi'u gweu eu hunain. Ac ar ben popeth, ma' nhw'n cysgu
drw'r dydd, ac yn gweu drw'r nos.

Eniwê, wrth i ni basio'r tŷ heddiw dyma Nodwydd Un yn
dod allan i'r ardd ac oedd hi'n gwisgo … coban 'di'i gweu!!
Fi ydi'r unig berson normal ar y stad 'ma, ma'n amlwg. Aw!
Ma' Hayley'n brathu nghoes i … amser cinio dwi'n meddwl.

13.40
Dim ond dwy sleisen o ham oedd ar ôl yn y ffrij. 'Nes i
frechdan yr un i Hayley a fi, a jyst wrth i mi gymryd cegiad
dyma Taylor yn ymddangos o rywle a'i bachu hi cyn diflannu
drw'r drws. Am ryw reswm, oedd ei hen drainers drewllyd o
yn ei law o yn lle ar ei draed o – ma' raid bod o'n mynd i rywle
pwysig. Tydi o byth yn gweld gola dydd fel arfer. Dwi'n ama
bod 'na waed *vampire* ynddo fo. Yn y diwedd, gesh i *Cup-a-
Soup* oedd 'di pasio'i *sell-by*. Rannodd Elfis frechdan Hayley
tra bod hi'n gwylio *Loose Women*. *C'est la vie* …

16.00
Ma' Jo newydd alaw draw. Ma' hi rŵan yn cysidro newid ei
henw'n swyddogol fel bod pawb – athrawon a'r cwbl – yn
gorfod ei galw hi'n Jojo. Ma' 'na frys, medda hi, oherwydd fod
'na gyfweliadau ar gyfer sioe ganu newydd ar y bocs. *Y Sioe
Dalent* ydi'i henw hi (teitl gwreiddiol – *nid*!) ac mae Jojo isio
canu cân Beyoncé … yn Gymraeg. 'Dan ni 'di bod wrthi'n trio
cyfieithu am ddwyawr solat. Ma' *Crazy in Love* rŵan yn 'Wirion
Bost Drosda Chdi' (mae o'n ffitio!) ond 'dan ni'n methu meddwl
am air Cymraeg am *'booty'*. Ella bod 'na ddim *'booty'* i gael yng

Nghymru, a dyna pam 'sgynnon ni ddim gair amdano fo?

Ddawnsion ni am *oes* wedyn – oedd Jo yn ymarfer ei rwtîn efo potel *Impulse* yn lle meic. Ma' hi'n dda iawn, dwi'n meddwl. Ddaeth Hayley i mewn wedyn a dawnsio efo hi nes iddi neud pi-pi yn ei thrwsus ac a'th Jojo adre achos dydi sêr pop go-iawn ddim yn helpu plant bach sy'n gwlychu'u nics. Ma' nhw ymhell uwchlaw hynny.

16.05
Anghofish i ddeud. Ma' 'na ferch newydd yn y parti dawnsio gwirion … sori, dawnsio gwerin … at y steddfod. Jo oedd yn deud, a Catrin Thomas ddudodd wrthi hi, ac ma' *honno'n* gwbod popeth, wedyn ma'n rhaid 'i fod o'n wir. Newydd symud o Dde Cymru ma' hi, ac ma'i rhieni hi isio iddi neud ffrindia cyn mis Medi. Druan ohoni! Gorfod stepio a hopio ac ŵ-hŵio efo ni am dair wythnos!

16.07
Pam greodd Duw ddawnsio gwirion? … Oedd o'n cael diwrnod ciami, ta be?

D.d.s Cofio mynd i ymarfer fory *ar* amser, neu fydd raid i mi ŵ-hŵio efo Siani Flewog eto ar ôl i bawb fynd … Plis, na! *I mean*, pam yn enw *Pobol y Cwm* ma' athrawes bywydeg yn dysgu dawns p'run bynnag? 'Dio'm yn iawn, nac'di? Ma' 'na drefn naturiol i'r petha 'ma. Athrawon Cymraeg a Drama sy fod i neud petha fel'na … dim dynes yn ei phedwar degau efo barf a choes glec … Ocê, dwi'n gor-ddeud rŵan, ond dim *llawer* …

19.17
Newydd gael te, oedd yn werth ei fwyta am unwaith, chwara teg! Cig a llysiau a thatws a grefi go-*iawn*. Fy ffefryn i!

'Dyma ni braf,' medda Dad yn ei lais *Munud i Feddwl*. 'Ista wrth y bwrdd efo'n gilydd *fel teulu*, yndê?'

''Blaw am Taylor,' medda fi, yn synnu bod hwnnw'n colli rwbath am ddim.

''Di'r ots,' medda Pops. 'Ma'r genod i gyd yma!' Nath o drio cydio yn Mam, ond mi ro'th hi benelin yn ei ochor o. A dyma fo'n trio rhoi cwtsh bach i mi, ond o'n i'n rhy sydyn iddo fo ac mi droish i'r jwg grêfi efo mhenelin ar hyd lliain gora Mam. Gesh i lond pen wedyn am 'sbwylio swper' a'm hel i fyny grisia. Nesh i drio cychwyn apêl, ond toedd 'na ddim byd yn tycio. Bai Mam oedd o, am roi'r lliain gora allan yn lle cynta, a bai Dad am drio bod yn neis-neis. Dwi'n *teenager*, tydw? Be ma' nhw'n ddisgwyl?

Dwi'n meddwl bod Mam yn teimlo'n euog am antics neithiwr. Dim y basa hi'n cyfadde. Styfnig fel mul! Diolch byth mod i'n debyg i Dad! Er ma'n rhaid i mi gyfadde y basa hi'n braf cael coesau Mam … ond sut fasa hi'n cerdded wedyn? Ha-ha. (Jôc!)

20.15

Ma'n rhaid mod i'n *bored*. Dwi newydd fod drwy'r ddawns werin wirion ddwywaith cyn i Mam daro'r to efo coes brwsh a ngalw fi'n eliffant … Hy! Well na bod yn Nazi, dydi? A phrun bynnag, ma' pawb yn gwbod bod deud pethau fel'na wrth ferch ifanc fel fi yn gallu bod yn beryglus. Allen i stopio bwyta … jyst fel'na! Un ddeilen o letys y dydd, math yna o beth. Allen i shrincio'n ddim … a bai *Mam* fydda'r cwbl!

20.45

Newydd sleifio lawr grisia i neud chips yn y meicro. Roish i mhen rownd drws y lownj yn slei bach ac oedd Mam a Dad yn ista'n ddigon hapus ar y soffa. Wel, roeddan nhw ar yr *un* sofa p'run bynnag. Dim difôrs eto 'ta! Gwely cynnar i mi dwi'n meddwl – cyn y marathon step-hop-hopio fory! Mmmm. Methu disgwyl.

17

Dydd Mercher, Gorffennaf 22ain

09.15

Dwi'n gloff! Wir rŵan, dwi'n cerdded fel Nodwydd Un a ma' hi'n 830 mlwydd oed! Toes 'na'm ffordd fedra i ddawnsio gwirion fel hyn! Hmm. Hwyrach bod hyn yn fendith …

09.17

Ma'n olreit. 'Di stiffio o'n i. Ar ôl yr holl *training* 'na neithiwr. Jyst galwch fi'n Kelly Holmes.

09.45

Ma' Jo'n gynnar. Ac yn smart. Sy'n golygu 'i bod hi isio gweld Taylor.

'Lle mae *o*?' medda hi.

'Jyst dilyn yr ogla,' medda fi. 'A' i i gael brecwast.'

Yn y gegin, roedd Mam yn straffaglu i gael Hayley i wisgo'i chardigan yn barod i fynd at Heather, sy'n gwarchod pan ma' mygins yn brysur. (Toes 'na *neb* yn trystio Taylor efo hi, ddim hyd yn oed Mam.)

'Fydda i'n hwyr heno, Sadie,' medda Mam wrth fynd am y drws. 'Ty'd Hayls.' Wrth iddi gau'r drws, glywish i sŵn fflip-fflops Jo yn dod lawr grisia. Ti'n gallu deud sut hwyl sy ar Jo yn ôl sŵn y fflip-fflops. Pan ma' hi'n hapus mae o'n sŵn fflipfflipfflip cyflym, ond weithia ma' 'na un fffffflip hir ar ôl y llall yn dod, a ti'n gwbod bod 'na gwmwl glaw uwch ei phen hi.

'Be sy?' medda fi, cyn iddi gyrraedd y gegin.

'Taylor.' Roedd 'na stormydd a chorwynt uwch ben y cwmwl, yn ôl 'i gwynab hi.

'Ma' gynno fo gariad. Dwi jyst … ddim yn gwbod be i neud, Seid.'

To'n i'm yn meddwl fod o'n boléit i ofyn wrthi beidio odli o dan yr amgylchiadau ac felly mi ddudish i 'Ty'd. Gawn ni siarad ar y ffor', a fyddwn ni'n gynnar, a fydd Siani Flewog methu cadw ni yna, a gewn ni fynd i Caffi Ni am baned a chacen gyraints wedyn.'

'Cacen pry 'di marw,' medda Jo, a sniffio'n hunandosturiol.

'Ty'd Jo,' medda fi.

'Jojo. *Plîs.*' Dim byd *mawr* yn bod, felly!

Hanes a chefndir perthnasol sterics Jo

- Ma' Jo yn 13 oed. Ma' Taylor yn 18.
- Ma' Jo mewn cariad efo T ers pan ma' hi'n 11 oed.
- Tydi hi ddim *wir* mewn cariad, wrth gwrs, a'r diwrnod geith hi gariad go iawn fydd fy mrawd annwyl yn ddim byd ond atgof hynod *embarrassing*.
- Tydi'r diwrnod yna heb gyrraedd eto.
- Ma'r sefyllfa'n cael ei chymhlethu gan y ffaith mai fi ydi'i ffrind gorau hi ac ma' hynny'n rhoi *access* hawdd ac aml iddi hi i fywyd Taylor (hynny sy ohono fo).

10.10

Nesh i ddim meddwl gofyn nes oedden ni ar y bws a hanner ffordd i'r dre.

'Sut wyt ti'n gwbod fod ganddo fo gariad? Toedd hi'm … yna, nagoedd?' Ych a pych! Tydi'r peth ddim werth 'styried os dwi isio cadw mrecwast yn fy stumog. Mi drychodd Jo i lawr ar ei sgert mini, fel tasa'r ateb yn fan'no.

'Deud nath o … Wel, gweiddi nath o deud gwir. Nesh i ond cnocio ar y drws i ddeud haia, a waeddodd o bo fi'n pest, a bod o'n trio cael sgwrs ffôn *breifat* efo'i gariad.'

'Ella bod o'n deud clwydda.'

'Ti'n meddwl?'

'Fydda fo mo'r tro cynta,' medda fi. 'Daerodd o mai Hayley dorrodd fy CD *Busted* i, a dwi'n gwbod mai fo nath.'

'Wedyn … falle bod o'n dal yn sengl 'ta?'

'Hyd yn oed os *ydi* o, Jojo, nath o dy alw di'n pest.'

'Wel do, ond trio nghael i i licio fo mae o, yndê?'

'Lembo 'di o! A mae o *lawar* rhy hen i chdi eniwê.'

''Motsh am hynny. Alla fo weithio. Sbia ar … ym … Prins Charles a Diana.'

'Ac yli be ddigwyddodd iddyn nhw, Jo!'

Onest tŵ God! Os mai dyna'r enghraifft ora fedar hi ffeindio, ma' hi 'di canu ar yr hogan. Ond toes 'na'm deud wrthi. O na! Hi ŵyr ora …

10.25

Pum munud *cyfa* cyn amser. *Result!* Dwi'm yn meddwl mod i rioed 'di bod yn gynnar ar gyfer unrhyw beth o'r blaen.

Oedd Nerys Kathryn *saith munud* yn hwyr, sy'n golygu mod i wedi colli deuddeg munud o mywyd jest yn disgwyl. Falle nad ydi o'n llawer, ond ma' pob mymryn yn help, tydi? Ddudish i wrth Nerys bod hi wedi dwyn fy amser i, ond nath hi f'atgoffa i mai amdana fi a Jo oedd pawb yn disgwyl fel arfer.

Wedyn mi grafodd Miss Flewog (Fellows ydi'i henw hi go iawn) ei gwddw, a deud 'Reit 'ta, bobs, newch chi roi croeso mawr i'r aelod newydd o'r tîm, a'ch cyd-ddisgybl tymor nesa. Dyma Fflur Haf.'

Mi safodd Fflur Haf ar ei thraed i bawb gael ei gweld hi, a phenderfynu os oedd hi'n un ohona ni neu beidio. Bach, tenau, gwallt melyn, llygaid brown, gwên gyfeillgar, jîns tri-chwarter, pymps bale a chrys chwys piws. O'n i'n gweld Jo yn gneud y tshecs 'run pryd â fi. Oedd hi'n edrych yn olreit, chwara teg. A chwara'r ffidil oedd hi, dim dawnsio. Hogan lwcus os 'dach chi'n gofyn i mi.

'*Chop chop* 'ta, bobs,' medda Siani F. Trio bod yn trendi ma'r graduras efo'i 'bobs'. Pobol ma' hi'n feddwl. 'Un dau tri pedwar pump chwech saith … aaaaa …'

13.30

Tydw i ddim yn mynd eto. Byth bythoedd … Hyn a hyn o gwilydd fedar rywun ei ddiodda yn ei fywyd, yndê?

Ddechreuodd petha'n o-lew o normal. Siani F yn ŵ-hŵio o'i hochr hi a phawb arall yn edrach fel tasa well ganddyn nhw fod yn y wers dwbl gwyddoniaeth ar fore Llun. Nerys Kathryn yn waldio'r triongl heb *fymryn* o gonsýrn am rythm, a Gafyn a fi'n cael andros o sbort am ben Jo sy'n gorfod dawnsio efo Glyn Geek. Dwi'n falch mai Gafyn ydi mhartner i. Oni bai am Jo, fo 'di'r ffrind gora sgen i. A *ffrind* ydi o, dim byd mwy na hynny, iawn? Dwi'n nabod o ers rysgol feithrin, a mae o fel brawd deud gwir, ond mae o'n *lot* neisiach na Taylor … Nid bod hynny'n anodd, wrth gwrs.

Ta waeth, roedd Siani F isio i ni gyd drio'n clocsia heddiw. 'Dowch rŵan, bobs, fydd raid i chi arfer.' Felly mi straffaglodd pawb iddyn nhw … Fflip, ma' nhw'n anghyfforddus. Ac yn drwm! Tasa ti isio boddi, yndê (a tydw i ddim, wrth gwrs …) dim ond i ti wisgo clocsia a thaflu dy hun i'r môr, mi fasat ti'n gonar mewn pum munud. Sut oedd pobol yn *cerdded* yn yr oes o'r blaen?

Unwaith ddechreuon ni ddawnsio, mi wellodd pethau. Ma' Mr Jones Gofalwr wedi cael cyfle i roi polish ar lawr pren y neuadd tra bod ni 'rabsgaliwns' ar wylia, a mae o'n llyfn neis. A phan ti'n clywed sŵn pawb yn clip-clopio efo'i gilydd, mae o *bron* yn bleserus. Oedd Gafyn a fi'n mynd i hwyl, yn sgipio a throelli'n ddigon del. A dyma'n tro ni i fynd drwy'r canol, a feddylish i – dwi'n mynd i fynd amdani … A dyna'r peth ola dwi'n gofio, achos yr eiliad nesa mi lithrish i ar lawr sgleiniog Mr Jones Gofalwr, fflio reit fyny i'r awyr a glanio – bwm! – *ar ben* Gafyn, efo nhin yn yr awyr.

Roedd o jest fel ffilm. Roedd 'na eiliad bach o dawelwch, ac yna dechreuodd bawb chwerthin. Nid rhyw ha-ha fach bitw chwaith, ond chwerthin bol. A chlapio a chwibanu. Hyd yn oed Glyn Geek! Ac yn yr eiliad honno, mi 'styrish i y bydda taflu fy hun i'r Fenai yn fy nghlocs yn ddewis deniadol.

Roedd rhaid codi yn y diwedd, wrth gwrs, neu mi faswn i wedi mygu Gafyn. Roedd golwg fel soffa ar ei wyneb o fel oedd hi. Ac wrth i mi godi, glywish i'r *un* gair sy'n achos och a gwae i mi … a dwi'n siŵr mai o geg Nerys Kathryn y doth o – '*Seidbord!*'

14.10

Yn Caffi Ni roedd 'na gyfle i gnoi cil (nid go-iawn wrth gwrs, achos gwartheg sy'n gneud hynny a tydw i *ddim* yn fuwch.)

'*Seidbord!*' medda fi, gan sbio'n drist ar fy nghacen gyraints. 'Does 'na neb 'di galw fi'n Sadie Seidbord ers Blwyddyn Saith.'

'Nagoes,' gytunodd Jo. A sgydwodd Gafyn ei ben wrth bod 'i geg o'n llawn cacen wy. Roedden nhw wedi dod i'r caffi i ddangos eu cefnogaeth, chwara teg.

'Paid â gwrando arnyn nhw, Seid,' medda Gafyn. 'Tydw i'm gwaeth, nac'dw?' Dyma fo'n rhoi gwên fach i mi, ond roedd ei wyneb o'n dal i edrych fel *beanbag* ma' rhywun 'di ista ynddo'n rhy hir.

'Nid *nhw*, Gaf. *Hi.* Nerys Kathryn. Gnawas iddi.'

'Fedri di'm bod yn siŵr ...'

'O, gallaf. Mi *ga* i hi, dwi'n deutha chi rŵan!'

Nath Jo wyneb 'cer amdani' tra bod Gaf yn cymryd cegaid arall o'i gacen wy.

'Tydw i ddim yn edrych fel seidbord go-iawn, nac'dw?'

'Nagwyt siŵr!' medda'r ddau efo'i gilydd fel parti llefaru, ond o'n i'n gwbod 'u bod nhw'n deud clwydda.

Ers dwi'n ddim o beth, dwi 'di bod yn drwm. Neu'n 'solat' chwedl Nain. Ma' nghorff i ... fatha sgwâr. Tydi o'm yn mynd i mewn ac allan fel un Jo; mae o jest yn ista 'na, fatha lwmp. Ma' petha'n gwella rhyw fymryn rŵan, gan mod i'n gwisgo bra, ond dim llawer. Deud y gwir, ma' cynnwys fy mra wedi tyfu'n ddychrynllyd o gyflym, a chyn bo hir dwi'n ofni y bydd 'na ddau fryn anferth o dan fy ngên i. Dau fryn ... a seidbord. Tydi o'm *exactly* yn Kate Moss, nac'di?

'Ond sbia dy wallt di, Sadie. Sbia tlws 'di o!'

Ma' Jo yn iawn. Dwi'n licio ngwallt i. Mae o'n frown fel chocled, yn gyrliog ac yn sgleinio. A mae o'n mynd efo'n llygaid brown i. Ond am y gweddill ... wel, dwi'n beio Dad. Dwi 'di etifeddu'i gorff o (heb y bol cwrw), tra ma' Hayley a Taylor yn debycach i Mam. *Petite* ydi'r gair ma' pobl yn 'i ddefnyddio i'w disgrifio hi. Ma' popeth amdani'n fach. Ei thraed hi, ei dwylo hi, hyd yn oed ei chlustiau hi. Ma' hi'n dal i wisgo dillad seis deg, a dwi'm 'di gneud hynny ers o'n i'n naw oed. Toes 'na neb yn 'i galw hi'n Plwmsan. Nac yn *seidbord* ran hynny!

'Dwi'n mynd i ddechrau loncian,' medda fi, gan gymryd brathiad penderfynol o nghacen.

''Na fo 'ta. Ond ti'n iawn fel wyt ti,' medda Gafyn. Oedd o'n dechra edrych yn *bored*.

'Be ti'n feddwl, Jo?'

Roedd Jo yn syllu drwy'r ffenast fel lŵn.

Edrychish i allan wedyn, a dallt pam. Roedd yr hogyn delia dwi *rioed* 'di'i weld yn pasio yn y stryd. Wir yr rŵan, *gorjys* o ddel. Roedd o fel *Premier League* o ddel. Tasa fo'n dîm, yndê, fasa fo'n Man Utd, a phob hogyn arall ti rioed 'di'i weld o'r blaen yn Caernarfon Town! Ydi hynny'n rhoi rhyw fath o syniad? Roedd ganddo fo wallt melyn fflopi ac roedd o'n dal, ac mi roedd o'n gwisgo dillad neis hefyd, fel dillad syrffio. Perffeithrwydd ar ddwy goes!

Aeth o heibio'n y diwedd, a heb feddwl, dyma Jo a fi'n gadael andros o ochenaid allan.

'Be sy?' medda Gafyn.

'Jest …'

'Oedd 'na …' Toedd gan Jo na fi mo'r eirfa i'w ddisgrifio fo. Sbiodd y ddwy ohonan ni ar ein gilydd a dechra chwerthin.

'Fasa ti'm yn *dallt*,' medda ni.

'Be oedd o? Hogyn?' Toedd Gafyn ddim yn swnio'n hapus iawn.

'Ym, ia,' medda fi. 'Ond nid jest *unrhyw* hogyn …'

'Reit. Dwi'n mynd adra,' medda fo. Roedd o'n edrych yn llai hapus fyth.

17.23

Newydd ddod nôl o dre. Ma' Jo a fi 'di treulio drwy'r pnawn yn stelcian hyd y strydoedd. Roeddan ni'n gobeithio cael cip arall ar Yr Hogyn … neu Y Duw Rhyw, fel ydan ni wedi'i alw fo rŵan. Tybed pwy 'di o? Y Duw Rhyw. Ella bod o ar ei wyliau yma neu rwbath? Sut dwi'n mynd i ffeindio esgus i gael pres bws i fynd i dre bob dydd i drio'i ffeindio fo? A be os wela i mo'no fo eto?! … Byth!

17.24

Wedi cael syniad. Anti Trace. Helpu'n y siop … Dwi'n

jîniys!

19.45

Toedd Mam ddim yn meddwl mod i'n jîniys.

'Tydw i'm yn gweithio bob awr o'r dydd dim ond i lenwi pocedi'r Heather 'na.'

'Fydda i'm yna bob awr o'r dydd, Mam. Ac eniwê, be am Taylor?'

'Ma' Taylor yn brysur, yn chwilio am waith.' Gwenodd Taylor fel angel. Chwilio am slap mae o.

'Gad i'r hogan fynd,' medda Pops. Chwara teg iddo fo. 'Neith les iddi. Yn gneith, Plwmsan?' Grrr!

'Wyt ti'n mynd yn groes i mi, o flaen Sadie?' medda Mein Fuhrer.

'Nacdw,' medda Dad, â choblyn o ochenaid fawr.

'Wel, mae o'n swnio felly i mi …'

Wrth gwrs aeth hi'n ding-dong-ffrae eto wedyn, a Hayls a fi jyst â marw isio te.

Gytunon nhw *yn y diwedd* mod i'n cael gweithio o leia dau bnawn yr wythnos yn *Macsi*. Roedd Anti Trace wrth ei bodd. Toedd Jo ddim. Ond mi nesh i 'i hatgoffa hi bod hi mewn cariad pur efo Taylor, a bod hyd yn oed *meddwl* am rywun arall fel tŵ-taimio. Nath hi ryw sŵn debyg i hymff a rhoi'r ffôn i lawr.

Hip hip ayb. Dwi'n cychwyn yn *Macsi* pnawn fory. Rŵan, be dwi'n mynd i wisgo?

Dydd Iau, Gorffennaf 23ain

08.45
Erbyn i mi fynd trwy bob *combination* o ddillad oedd gen i neithiwr, o'n i ar y nglinia, a toedd gen i'm mymryn o fynadd eu rhoi nhw i gadw. Ddeffrish i bore 'ma efo botymau cardigan yn fy nhrwyn a Mam yn fy nghlust yn hefru arna i i dwtio cyn i mi fynd.

'Be am Taylor?' medda fi. 'Ma'i ddillad o'n hymian cymaint fasan nhw'n gallu dechra côr!'

'Amdanat *ti* dwi'n siarad, Sadie, nid am Taylor.' Pam *bod* rhieni'n llawn atebion fel'na? Pryd anghofion nhw sut i siarad sens? Fy ffefryn i ydi'r ateb bach handi, amlbwrpas a hollol *pointless* yna – 'Gawn ni *weld.*' Geith pwy weld? A gweld be? Nonsens. Sa waeth iddyn nhw ddeud 'na' yn syth a diwedd arni.

'Fedri di fynd â Hayley draw at Heather ar dy ffordd?' medda Mam wrth iddi fynd am y drws.

'Ond, o'n i'n meddwl bod gynnoch chi hanner diwrnod rhydd heddiw?'

'Dwi'n gweithio shifft ecstra. Gofyn i mi neud i dalu Heather, toes?'

Roedd 'na olwg od ar ei hwyneb hi. 'Mond am eiliad. Teimlo'n euog, beryg. Ein bod ni'n blant amddifad oherwydd job newydd Mam.

10.30
Tra bod Hayls yn chwara efo Ben, a Nicky Bag o Nerves yn *bleachio* ei dystyrs (o ydi, *mae* hi) benderfynish i roi cychwyn ar y loncian. Gymrodd hi sbel i gael *look* addas ar gyfer y fath beth, ond mi setlish i ar drowsus traci coch efo streipen ddu, crys-t du efo patrwm abstract coch, a chrys chwys du a gwyn (wedi'i glymu rownd fy mhen-ôl

sylweddol, i'w guddio fo.) A *trainers* wrth gwrs.

Nesh i'n dda iawn. Deuddeg munud heb stop … Wel, dim ond un. Ac roedd hynny er mwyn astudio cynnwys lein ddillad Y Ddwy Nodwydd (amryw eitemau o wlanen llwyd).

At ei gilydd, mi o'n i wedi rhedeg, wel, loncian, am 18 munud a hanner wrth i mi droi'r gornel yn ôl am adra. Mi o'n i reit fodlon nad oedd neb wedi nabod fi chwaith, diolch i ddisgeis dihafal pâr anferth o sbectols haul, pan yn sydyn glywish i 'Wei-*hei Sei*-di! Be ti'n neud? Treinio ar gyfer y 'lympics?' Yncl Kenny! Yn tuchan chwerthin ar ei jôc nes bod ei foliau (ma' sawl un ganddo fo) yn woblo fatha rhyw anghenfil mawr jelïaidd. Wir rŵan, ma'i fol o mor fawr ddylia bod Y.K. yn prynu leisans iddo fo.

O! Y fath embaras! Mi fynnodd yrru'i hen gronc o fan yn ara bach wrth fy ochor i yr holl ffor' at y tŷ. Ond oedd *raid* iddo fo roi sylwebaeth ar bob cam hefyd?

12.15

Oedd rhaid i mei-nabs gael cinio a bob dim acw.

'Berwa wy i mi, gwael. A thorra'r bara'n sowldiwrs!' Fath yn union â hogyn bach, a ma'r dyn yn dri-deg *naw*! Oedd 'na ddigon o waith perswadio Hayley nad oedd hi'n cael mynd i dŷ Heather mewn gwisg gwrach. 'Isio rhoi sbel ar 'Eather,' medda hi, 'i neud hi'n ddel.' Ma' ganddi hi bwynt. Mi fydda galw Heather yn blaen yn fwy na charedig, ond yr eiliad hwnnw, o'n i jest isio cyrraedd siop *Macsi* yn gyfa ac ar amser, ac felly mi stwffish i goesa bach anfodlon Hayley i mewn i'w dyngarîs streips pinc ac anwybyddu'r sterics.

'Yncl Kenny, ma' raid i mi fynd,' medda fi. Oedd o'n gorwedd yn braf ar y soffa yn gwylio rhywun yn gneud risotto ar y teli.

'Chwilio am dy dad o'n i, Sadie. 'Dio yma?'

Ym ... chwiliwch yn twll-dan-grisia. 'Nac'di.'

'Joban iddo fo. Cyfla rhy dda i golli.' Ac mi dapiodd 'i drwyn efo'i fys.

''Na fo 'ta. T'ra,' medda fi, a tynnu Hayls o'no yn brotestiada i gyd.

Ar y ffordd i dŷ Heather, gesh i amser i 'styried joban Yncl Kenny. Rhyw fath ar frici ydi o (handiman ffri-lans mae o'n galw'i hun!) a weithia fydd o'n cael rhyw ddiwrnod neu ddau o waith gan Dad, ond bob rŵan ac yn y man fydd o'n cael 'syniad' neu sniff o sgam yn rhywle. 'Joban' fydd o'n galw'r rheiny bob tro. Codi wal rhwng dau dŷ oedd hi tro dwytha, a hynny oherwydd bod y cymdogion yn ffraeo gymaint. Wrth gwrs, mi ddechreuon nhw ffraeo am drwch y fflipin wal wedyn, ac mi landiodd Pops yn *casualty* efo *concussion* (daflodd rhywun fricsan, a Dad copiodd hi). 'Byth eto,' ddudodd Dad y tro hwnnw. *Actually*, Mam ddudodd, ond mi gytunodd Pops. Ond does wbod – am ddyn rhyfeddol o *embarrassing*, ma' Y.K. yn cael 'i ffordd yn ddychrynllyd o hawdd.

22.30

Ma' hi 'di bod yn ddi-stop tan rŵan, ond dwi am drio adrodd rhywfaint o hanes y dydd cyn i mi ildio i'r zzz-iau.

Macsi i gychwyn. Ro'n i ddeg munud yn hwyr, diolch i strancs Hayley, ond toeddwn i'm yn meddwl fod Anti Trace wedi sylwi. Oedd hi'n rhy brysur yn rhoi llond pen i Ange am gymryd awr a hanner dros ei chinio.

'Oedd *raid* i mi gael gweld Gar ar ôl neithiwr,' medda Ange, a'i llygaid hi'n dyfrio.

'Rhaid dim byd,' medda Anti Trace. 'Y fi sy'n talu dy gyflog di, dim Gar. Rŵan, chwytha dy drwyn a dos i folchi dy wynab.'

Waw! Anti T yn *flin*! Ella bod hi a Mam yn perthyn wedi'r cwbl. Ond wrth i Ange fynd, mi ofynnodd hi sut aeth petha, a rhoi gwên fach a winc iddi. Fasa Mam byth yn gneud hynny. Mi drodd hi ata i wedyn.

'Ac mi rwyt titha'n hwyr, mileidi, ond gei di faddeuant, *tro 'ma*.' A gwenodd hi arna i wedyn a ngyrru i i'r stafell stoc.

Yn fanno bues i drw'r pnawn, yn gwagio bocsys dillad sy 'di cyrraedd ar gyfer casgliad yr hydref, ac yn rhoi'r stwff ar hangyrs. Mi ffliodd y pnawn heibio heb i mi gael cyfle i feddwl am y Duw Rhyw, ac ar ddiwedd y pnawn mi gesh i £15 gan A.T.

'A paid â phoeni am y flows,' medda hi. O, ma' hi *mor* glên!

Mynd drwy'r drws o'n i pan ofynnodd hi 'Sut ma' dy fam?'

'Fel *ma*' hi,' medda fi, yn meddwl y basa Anti Trace o bawb yn deall, ac yn chwerthin, ond nath hi ddim. Mi safodd hi'n gwbl llonydd am eiliad cyn deud mewn llais tawel, 'Paid â bod yn rhy galed arni hi, Sadie. Tydi petha'm yn hawdd arni ar hyn o bryd. Angen i ti fod yn ffrind iddi sy …'

Ffrind?! Ma' 'na fwy o jans i chdi fod yn fêts efo Rottweiler. Ond ddudish i'm byd 'blaw gwenu a diolch am y pres. Toedd 'na fawr o bwynt sgowtio strydoedd dre am y Duw Rhyw 'radeg yna o'r nos, felly ddalish i'r bws adra a phicio i dŷ Jo i ddeud yr hanes.

Tasa 'na TGAU i gael am bwdu, fasa Jo yn cael A*. Na'th hi'm siarad efo fi am chwarter awr, 'blaw am ofyn 'be wyt *ti* isio?' Roedd hi wrthi'n ymarfer ei rwtîn Beyoncé yn hotpants Beth, ei chwaer fawr.

'Wel?' medda hi'n y diwedd. Ddudish i mod i'n meddwl bod hi'n ffantastig, ond mod i'm yn siŵr am y dillad. 'Yr hotpants 'na, Jo. Dydyn nhw'm yn ffitio. Sori 'de, ond ma' nhw'n debycach i flwmyrs hen nain arna chdi.'

Am eiliad, ro'n i'n meddwl bod hi'n mynd i roi swadan i mi, a wedyn dyma hi jest yn dechra chwerthin, a chytuno 'i bod hi'n edrych fel drong. A dyna fuodd wedyn – dynwared hen bobl yn canu caneuon rŵan. Yr un gora oedd Y Ddwy Nodwydd fel y Cheeky Girls! O'n i'n chwerthin gymaint nes i mi rowlio 'ddar y gwely a landio'n lwmp ar lawr.

Ddoth mam Jo i fyny wedyn i holi be oedd yr holl dwrw. 'Well i ti roi'r trwsus 'na nôl cyn i Beth ddod adra,' medda hi, 'neu fydd dy fywyd di'm gwerth 'i fyw!' Ma' Beth yn hŷn na ni – Blwyddyn 12 – ac ma' popeth yn ei llofft hi fatha pìn mewn papur. Hollol wahanol i Jo! Oedd raid i mi fynd adre'n fuan wedyn oherwydd bod Mam wedi ffonio 'yn poeni lle oeddat ti'. Ia, reit!

O'n i'n iawn hefyd. Erbyn i mi gyrradd adra toedd 'na ddim sôn am Mam. Roedd 'na weddillion *lasagne* yn y popty. Wel, dwi'n *meddwl* mai dyna oedd o, er lasa fo'r un mor hawdd fod yn bapur wal wedi'i rostio! Ar ôl mi grafu'r gweddillion i'r bin, êsh i allan i'r cefn lle oedd Hayls yn taflu malwod hyd y gwair tra bod Dad yn ista ar y fainc yn ei gwylio hi. Dyma fi draw ato fo, ac ista lawr.

Dwi'm yn hollol siŵr pam nesh i ffasiwn beth – roedd o'n reit od. *I mean*, ma' rheswm yn deud bo chdi'n cadw milltir rhyngdda chdi a'r rinclis bob amser, yntydi? Ond oedd o'n edrych … wel, fel tasa fo ar goll rwsut. Fatha hogyn bach. 'Sa hi wedi bod yn giami, ei adael o yno.

'Iawn, Dad?' medda fi. Gymrodd o swig o'i gan a nodio. Mi steddon ni yno am *oes* – o leia pum munud – heb ddeud gair. Jest i neud yn siŵr bod o dal yn fyw ddudish i 'Lle ma' Mam?'

'Allan.'

'Yn lle?'

Ac yna mi drodd o ata i a rhoi rhyw chwerthiniad bach. 'Ysdi be, Sadie,' medda fo, ''sgen i'm blydi clem.' A dyma fo'n sefyll ar ei draed, tywallt gweddill cynnwys y can ar y gwair, codi Hayley dan ei fraich a mynd â hi i'r tŷ am fath.

Drwy gyda'r nos heno, dwi 'di bod yn teimlo'n reit sâl. Ma' raid ma'r lasagne-papur-wal 'di'r bai, ond fedra i'm help teimlo bod rwbath *ofnadwy* o'i le. Tydi hyn yn ddim byd newydd i mi. Dwi'n cael mwy na'n siâr o drychinebus ddyddiau, dwi'n meddwl.

5 moment gwaethaf fy mywyd (dim mewn unrhyw drefn arbennig):

- Mynd ar goll ym maes parcio Tesco llynedd a gorfod mynd yn ôl i'r siop lle ddaru nhw gyhoeddi fy enw i dros y tannoy.
- Tyfu sbot maint yr Wyddfa *ar fy nhrwyn* y diwrnod cyn dechra'n yr ysgol uwchradd.
- Dad yn gweiddi `Cw' on Plwmsan!' pan o'n i'n olaf yn y ras clwydi ym Mlwyddyn Saith.
- Geraint Conc yn gofyn i mi ddawnsio yn y disgo yn Glanllyn.
- Yncl Kenny. Bob tro.

Dwi jest yn berson anlwcus. Dwi'n derbyn hynny. Felly pam oedd heno'n teimlo'n wahanol?

Ma' Mam newydd gyrraedd adra. Duw a ŵyr lle ma' hi 'di bod. 'Di'r ots eniwê, dwi 'di blino gormod i feddwl erbyn hyn, a ma' rhaid dawnsio'n wirion eto bore fory. Hmm. Ie. Grêt … *not*!

Dydd Gwener, Gorffennaf 24ain

16.00

Ddoish i i wybod digon buan lle buodd fy mam hoff ac annwyl neithiwr. Efo Anti T. Wrth i mi fyta brecwast gesh i 'Twyt ti'm yn mynd ar gyfyl y siop 'na eto'.

'Ond pam? Oedd Anti Trace yn deud mod i'n grêt!'

'Achos twyt ti'm yn bedair ar ddeg tan fis Medi, nagwyt?' Roedd hi'n sbio arna i fatha taswn i wedi dwyn pres o'r til.

'Dim ond chwech wythnos ydi o,' medda fi. 'Be sy'n mynd i newid mewn chwech wythnos?'

Ond toedd Mam ddim mewn hwylia gwrando. 'Dyna'i diwedd hi,' medda hi. Gesh i'r rhestr arferol o betha i'w gneud wedyn a ffwrdd â hi, ond drodd hi rownd yn y drws a gollwng bom bach neis, yn sbesial i mi.

'Ti'n dallt bod Heather yn mynd at y dyn trin traed bore 'ma, yn dwyt? Fydd rhaid i ti warchod Hayley. Ta-ra.'

Fflipin mamau! Wir rŵan, lle ma'r sens yn y peth? Dwi'n ddigon hen i warchod Hayley heb geiniog o dâl, ond dwi'm yn cael gneud cwpwl o oria yn y siop? 'Dio'm yn *deg*. A pheth arall, sut gymron nhw tan rŵan i gofio faint 'di'n oed i? Ma'n rhaid bod Mam yn cofio *hynny*! Ac yna mi sylweddolish i'r gwir. Isio nghadw fi fel caethwas ma'r ddynas, isio i mi warchod Hayls tra ma' hi ar y galifánt. Dwi fath yn union â'r genod 'na sy'n gneud crysa-t am bum ceiniog yr awr yn Tseina. Dwi'n cael fy ecsploitio!

'Ma' gen i fy hawlia!' medda fi'n danbaid wrth Hayley.

'Dwi isio pi-pi,' ddudodd Hayley'n ôl.

Roedd Hayley wrth ei bodd efo'r dawnsio gwirion. Ac roedd pawb wrth eu boddau efo hi. Gafyn oedd y ffefryn, wrth gwrs, achos bod o'n chwara ceffylau efo hi a gneud ffýs, ond roedd pawb yn dotio arni ac yn deud ei bod hi fel doli fach. Ddudodd Nerys Kathryn, 'Tydi hi'm byd tebyg i ti, nac'di?' a gwenu'n annifyr. A wedyn ro'th Hayley gic iddi yn ei ffêr a rhedeg i ffwrdd. Ddudish i, 'Ma' hi'n debyg mewn *rhai* ffyrdd, Nerys,' a cherdded o'no. 1–0 i mi dwi'n meddwl.

Ma' Siani Flewog yn deud ein bod ni'n 'siapio reit ddel' rŵan, er bod Glyn tu ôl i'r bît bob tro. Ma' Jo druan yn gorfod 'i dynnu fo fel sach o datws ar ei hôl, sy ddim yn dda i'r *image* wrth gwrs.

'Cymryd rhan sy'n bwysig,' medda Siani.

'Naci, Miss. Peidio edrych fel drong sy'n bwysig,' medda Jo.

Y person sy'n dallt ei phethau ydi Fflur Haf. Ma' hi'n chwara'r ffidil yn *ffantastig*, ac yn ystod y brêc dyma hi'n benthyg sgidia clocsio Jo a gneud rwtîn bach stepio. Wir yr rŵan, roedd hi'n *wych*.

'O'n i'n arfer clocsio yn fy hen ysgol,' medda hi, yn troi'n injan dân o goch.

'Ddylia bo' ti'n y parti,' medda fi.

'Sa i moyn sefyll ar dra'd neb,' medda hi'n ôl.

'Ma' *pawb* yn sefyll ar draed ei gilydd yn y tîm yma,' ddudodd Jo, a thaflu golwg reit hyll at Glyn. Rhoddodd Fflur fymryn o wên wedyn ond deud dim, jyst cerdded o'no a dechrau chwarae cuddio efo Hayls.

Aethon ni i Gaffi Ni am ginio. Gafodd Fflur gynnig dod, ond gwrthod nath hi.

'Fi'n gorffod … mynd i … rywle,' medda hi, a rhuthro at y car heb ddweud ta-ra na dim. Toes 'na'm gofyn bod yn dditectif i ddallt bod rwbath yn bod ar yr hogan. Ma' Jo a fi'n meddwl fod 'na rwbath doji iawn wedi digwydd iddi. Y theori ar hyn o bryd ydi bod 'i thad hi 'di gweld rwbath ofnadwy yn digwydd (llofruddiaeth erchyll 'swn i'n feddwl) ac oherwydd 'i fod o'n dyst, ma'r teulu i gyd wedi gorfod symud a newid eu henwau a'r cwbl. Ma' Fflur, wrth gwrs, yn byw mewn ofn rŵan rhag ofn i'r gang ffeindio lle ma' nhw. Ma' Gafyn yn meddwl bod ni'n boncyrs.

'Ar ba blaned 'dach chi'ch dwy'n byw? Planed opera sebon, 'ta be? Gadwch *lonydd* i'r hogan druan! Dwi'n mynd i 'sgota.' A ffwr' â fo'n bwdlyd i gyd. Dyna'r ail waith mewn wthnos. Wn i'm be sy'n bod arna fo. Hormons, medda Jo.

'Neu *falla* bod o'n ffansïo Fflur!' Oedd 'i llygaid hi'n sgleinio rŵan. 'Ti'n meddwl dylian ni setio nhw fyny?'

'Na.'

Dwi'm yn licio'r syniad o Gafyn a Fflur efo'i gilydd. Fasa nhw'm yn siwtio rwsut. Dyna pryd benderfynodd Hayley daflu gweddill ei bîns ar dôst ar lawr, wedyn toedd 'na'm cyfle i drafod ymhellach …

16.50

Newyddion da. Dwi'n dal i weithio yn *Macsi*! Fues i draw pnawn 'ma, ac ar ôl pledio am oria, ddudodd Anti T y baswn i'n cael, dim ond iddi nhalu fi mewn cash. Sy'n golygu, *actually*, mod i'n torri'r gyfraith am y tro cynta rioed. Ond yn well o lawer na hynny, dwi 'di rhoi stop ar gynllwyn dieflig Mam. Hip hip ayb.

21.45

Heno, pan ddudish i wrthi, aeth hi'n *wyllt*!

'Rhag dy gwilydd di'n mynd tu ôl i nghefn i fel'na! Ddudish i na, yn do? Oes 'na *unrhyw un* yn y tŷ 'ma'n gwrando ar be dwi'n ddeud?'

Aeth hi mlaen am oes yn mwydro am 'drio cadw'r teulu 'ma i fynd'. Wel, ma' hynna'n jôc! Fasa Mein Fuhrer yn gallu dechra rhyfel mewn stafell wag. A pan ddudish i wrthi mod i'n cael fy ecsploitio, aeth hi'n dawel i gyd ac ysgwyd ei phen.

'Os oes 'na *unrhyw un* yn cael ei gam-drin yn y tŷ 'ma, Sadie, yna fi 'di honno.' Oedd ei llygaid hi'n llenwi 'chydig bach, a drodd hi ar ei sawdl a mynd allan i'r ardd. A ma' nhw'n deud bod *teenagers* yn oriog! Diolch byth fod Dad allan, neu mi fasa hi wedi cychwyn arno fo hefyd. Sut ma'r cradur wedi byw efo hi gyhyd, dwi jyst *ddim* yn gwbod.

Dydd Sadwrn, Gorffennaf 25ain

14.00

Dwi wrth fy modd efo dydd Sadwrn fel arfer. Ti'n *haeddu* brêc erbyn pnawn Gwener, yndwyt? Ma'n amlwg bo' hynny ddim yn wir wthnos yma.

8.45 oedd hi bore 'ma. Wir rŵan, sbïsh i ar gloc pinc Jo. Clonc. Paned yn glanio wrth fy ochor a 'Reit 'ta, madam. Ma' gynnon ni waith i neud'. Mein Fuhrer. Mewn hwylia torchi llewys. I Mam, ma' llnau fel ymgyrch filitaraidd i'r teulu oll, nes ma'r gelyn ar ei linia. Llwch ydi'r gelyn. Nid bod hi'n honco chwaith, dim fel Nicky drws nesa, ond ma' hi jest yn … benderfynol. Fasat ti'm yn dadlau efo hi pan ma' hi'n dal ei pholish a'i dystyrs! O'n i'n dychmygu pryfaid cop yn ei sgidadlo hi am y sgyrtins wrth ei gweld hi'n dod.

Y fi oedd ar ddyletswydd hwfyr ('tu ôl i bob cwpwrdd ac o dan bob gwely, plis') ac roedd Pops yn llnau ffenestri cyn iddo fo fynnu mynd ag Elfis am dro tua un ar ddeg. (h.y. dianc i'r *Ship* am beint). Roedd Taylor yn *trio* golchi llestri, a Hayls yn llnau walia'r rŵm ffrynt efo brwsh toilet.

Erbyn hanner dydd, toedd 'na ddim gronyn o lwch ar ôl yn unman, a chyhoeddodd Sarjiant bod yr ymgyrch ar ben. Llwyddodd Taylor i ffindio switsh y tegell ac esh i i mewn i'r lownj efo diod i Hayley. 'Blaw doedd Hayley ddim yna. Nac yn ei llofft. Doedd hi ddim yn y tŷ, ddim yn yr ardd, ddim yn unlle. Yn waeth na dim, roedd y giât ffrynt ar agor. Roedd Hayley ar goll.

Ma'n wir be ma'n nhw'n ddeud. Pan ma' rwbath ofnadwy yn digwydd, ti jyst yn stopio'n stond am eiliad. Dyna ddigwyddodd i mi. Aeth 'y nghorff i'n oer drosta i. Glywish i'n hun yn sugno anadl fawr dynn i mewn, ac yna, aeth popeth yn boncyrs bost. Dyma Mam a fi a Taylor (ia, wir!)

jyst yn sbrintio allan i'r stryd gan weiddi-sgrechian ei henw hi i bob cyfeiriad, tra'n sganio pob mymryn o darmac, ond toedd 'na neb yn nunlla. Jest stryd hollol wag. Gwacach na gwag. Dyna oedd y peth gwaetha: gweld dim, dim ond lôn wag o dy flaen, pan ma'r cwbl wyt ti isio yn y byd i gyd ydi gweld hogan fach.

Ddechreuish i redeg wedyn, allan o'r cul-de-sac lle 'dan ni'n byw, ac i ben y stad at y lôn fawr. Dwi'n siŵr bo' fi'n sgrechian fel lŵn, ond twyt ti'm yn poeni nagwyt? Dim ar adega fel'na? O'n i'n gweld y lôn fawr yn dod yn agosach ac agosach, a finna ofn cyrraedd y gornel rhag ofn y bydda 'na rwbath ofnadwy yn disgwyl amdana i yn fan'no. Jest wrth i fi gyrraedd y troad, pwy ddaeth i nghyfarfod i ond Nodwydd Un, efo Hayley'n cydio'n ei llaw!

Dwi'n siŵr na pharodd yr holl beth ddim mwy na phum munud, ond roedd o'n teimlo fel oria. Toedd Hayls ddim gwaeth, wrth gwrs; deud gwir, oedd hi wrth ei bodd efo'r sylw. Safodd hi yno, yn gwenu fatha'r cwîn, wrth i bawb ddod allan i'r stryd i weld bod hi'n iawn.

'Paid ti *byth* â rhedeg i ffwrdd fel'na eto,' medda Mam, a dyma hi'n cydio mor dynn yn ei llaw nes i fysedd Hayley droi'n biws.

'Awww!' medda hi a sbio ar Mam efo'i llgada llo bach. 'Isio ffindio Elfis o'n i, Mami.'

Roedd Nodwydd Un yn siarad am fel ma'r oes 'di newid a pha mor anodd ydi hi i blant fod yn saff heddiw a bla bla bla. Oedd hi fel nodwydd wedi mynd yn styc! Haha! Toedd Mam ddim yn gwrando, o'n i'n gallu deud. Cwbl ddudodd hi oedd 'Fedra i'm diolch digon i chi, Miss Rees,' drosodd a throsodd, cyn ein hel ni nôl i'r tŷ.

Roedd Taylor wedi dianc i'w lofft y funud gwelodd o fod H yn saff, felly dim ond y dair ohonan ni oedd 'na, yn sefyll yn y gegin. Yn sydyn reit, dyma Mam yn cydio yn y ddwy ohonan ni'n dynn, dynn a sibrwd 'Tasa *unrhyw beth* yn digwydd i chi blant ...' a'n dal ni am yn hir, hir nes i Hayls ofyn am 'hufen iâ a sprincyls i ginio, chos ma' Ayley'n 'ogan dda'.

Dwi'n fy llofft rŵan. O'n i jyst yn meddwl am bobl sy'n colli plentyn go-iawn. Mewn chwinciad. Mewn eiliad. A ti'n gweld y fam a'r tad yn dal dwylo'n dynn pan ma' nhw'n gofyn am help ar y teli. Tybad 'sa Mam a Dad yn dal dwylo tasa rwbath yn digwydd i mi? ... Mi fasan nhw'n basan? *I mean*, dwi'n gwbod bod nhw'n ffraeo, ond tasa 'na rwbath *difrifol* yn digwydd, dwi'n siŵr y basan nhw'n sdicio efo'i gilydd.

21.30

Tydyn nhw ddim yn dal dwylo rŵan, ma' hynny'n ddigon siŵr! Pan ddaeth Dad nôl o'r Ship pnawn 'ma, roedd Yncl Kenny efo fo, ac oedd y ddau 'mewn hwylia' (hynny yw, wedi cael llond bol o gwrw). Ma' Y.K. wedi cael llwyth o ymbaréls gwahanol o rywle.

'Sadie, ma'r ymbarél yma, 'nde ... yn mynd i newid dy *fywyd* di! Ma' hi'n binc, ma' hi'n cŵl a tydi hi *ddim* yn gollwng dŵr.' Roish i'r 'W' (worrefa) iddo fo, a mynd i neud brechdan. Am ryw reswm, ma' Dad yn meddwl bod yr ymbaréls 'ma'n grêt hefyd, a mae o wedi rhoi pres at 'fenter' newydd Yncl K, sef *Canu Drwy'r Glaw: Daliwch i wenu drwy'r cymylau efo Kasgliad Kartrefol Kenny! Popeth o dan yr un to!* Deud y gwir, fydd o ddim dan do o gwbl. Syniad Yncl-jyst-galwch-fi'n-Branson-Kenny ydi teithio marchnadoedd Cymru efo'i stondin yn gwerthu si-bŵts ac anoraks plastig pinc.

'Iwsio nghoconyt yli, Sei-di,' medda fo, yn tapio'i ben. 'Chei di *nunlla* gwell i werthu *Gêr Glaw Grŵfi* na Chymru!'

'Pam 'te, O Holl Wybodus Ewythr?'

'Glaw 'nde, Sadie? Pitran patran ymhob man!'

'Dwi *yn* gwbod be 'di o,' medda fi.

'A dyna'r pwynt, Plwmsan fach. Ma'r glaw yn disgyn yn *amlach* yng Nghymru nag yn unlla arall!' Fydd o'n trio bod yn Ddyn Tywydd nesa.

''Di hynny ddim yn golygu y bydd pobl isio prynu dillad joscin nac'di? Dyrr!'

Dawelodd o am 'chydig wedyn, a bu bron fi deimlo'n ddrwg. Ond wedyn ddoth o â'r casgliad cotia glaw allan o'r bocs. OMG! Mingerŵni! Ffieidd-dod efo dwy fraich a *hood attached* … Oeddan nhw mor ych, fasa dy nain di'm yn cyffwrdd blaen bys ynddyn nhw. Wir rŵan. Ond oedd Y.K. wrth ei fodd.

'Y bluen yn fy *souwester,* wrth gwrs,' medda fo, gan dynnu het law blastig allan o'r bocs a'i gosod ar ei ben moel, 'ydi … fy system sain!' Erbyn deall, ma'r gonc 'di prynu fatha disgo symudol i fynd efo fo, ac mae o am chwara *hits* y gorffennol ar ei stondin i ddenu pobl ato fo.

'Dwi 'di meddwl am y peth yn iawn. Gawn ni *Raindrops Keep Falling* a *Dŵr* a *Mynd Nôl i Flaenau Ffestiniog* – glaw, ti'n gweld. Glaw!!'

Dwi'n siŵr tasat ti'n torri Y.K. drwyddo fatha darn o roc, mi fasa LŴN wedi'i sgwennu drwy'i ganol o, ond o'n i'n disgwyl gwell gan Pops. Ma'n amlwg fod Mam hefyd, oherwydd y cwbl nath hi drwy gydol ymweliad Y.K. oedd sefyll yn dawel yng nghornel y gegin yn plethu'i breichiau. O'n i'n gwbod yn union pa sŵn fasa'i fflip-fflops hi'n neud – tasa hi'n eu gwisgo nhw.

Ar ôl i Y.K. adael doedd Mam ddim yn hapus. Digon teg, roedd ganddi hawl i gael strancs am gynlluniau sbwrielaidd fy ewythr.

'Sut allat ti fod mor *blentynnaidd*, Terry? Ti'n gwbod sut *ma'* Kenny. Mae o'n beryg bywyd efo mwy na ffeifar yn ei

39

law! Sa fo'n gwerthu'i nain tasa'r graduras dal yn fyw!'

Safodd Dad fatha hogyn bach drwg yn deud dim 'blaw ambell i 'Ond Glen …' Oedd o'n edrych fel plentyn 'di cael ei yrru i'r Stepen Ddrwg ar y grisia. Ond mi oedd be ddo'th wedyn … wel … jyst heibio pob rheswm ayb. To'n i'm i fod yn gwrando. Gesh i'n hel at Hayls oedd yn gwylio *Grandstand* yn y rŵm ffrynt, ond nesh i adael y drws ar agor, a'r pwnc tro yma oedd Hayls. Yn ôl Mam, allai Pops fod yn gyfrifol am 'lofruddiaeth ein merch' drwy fod mor gwbl anghyfrifol.

'Tasa Miss Rees ddim yn digwydd bod yna, Duw a *ŵyr* be fasa wedi digwydd i Hayley!' Roedd hi'n sibrwd, ond roedd ei llais hi'n oer fel rhew. Gaeodd hi'r drws wedyn, a to'n i'n methu clywed gystal, ond ddalish i 'hunanol' a 'giât yn agored, drws yn agored … *pedair* oed, Terry!' felly roedd hi'n amlwg pam bod Pops druan yn y doc.

Cyn bo hir, ddaeth Dad i'r stafell fyw. Roedd o'n joli fel arfer, ond gydiodd o yn llaw H yn dynn a chynnig mynd â hi i'r parc. Ar ôl iddyn nhw fynd, daeth Mam i mewn a sbio arna i a chymryd ei gwynt, fel tasa hi'n mynd i ddeud rwbath pwysig. Ond wedyn mi newidiodd ei meddwl a deud wrtha i am 'ddiffodd y rwtsh 'na a mynd allan i'r awyr iach'.

Ffonish i Jo.

'Jojo'n siarad.' Roedd hi allan o wynt.

'Ga i ddod draw?'

'Ia plîs! Ma' 'na *step* a *ball-change* a *shuffle* sy'n gyrru fi'n nyts,' medda hi.

'Ga i fod yn Simon Cowell?'

'Dim ond os wyt ti'n gwisgo trwsus sy'n dod at dy geseilia di.'

Dwi 'di bod yn nhŷ Jo tan rŵan. Ma'r cyfweliadau mewn pythefnos a hanner, felly ma' hi'n ymarfer am o leia awr bob dydd. Canu a dawnsio a ballu ydi 'bywyd' Jo, medda hi, ac ma' hi'n *benderfynol* mai dyma fydd ei brêc hi. Ma' hi'n andros o lwcus, dwi'n meddwl, ei bod hi mor sicr am rywbeth. Ma' Mr Davies Doss yn mwydro am 'gôls' drwy'r amser yn Addysg Bersonol, fel tasa ni i gyd am fod yn Ryan Giggs, ond ma' gan Jo rai. *I mean*, ma' hi'n cael gwersi tap a ballu ers oedd hi'n bump oed, a ma' hi jyst yn *gwbod* be ma' hi isio. Sgen i'm clem be *dwi* isio.

Benderfynodd 'Jojo' bod hi'n bryd ca'l perfformiad cyhoeddus o flaen y teulu, yn yr ardd. Oedd Beth yna hyd yn oed – fel arfer ma' hi'n rhy swotlyd i gymryd J o ddifri. Roedd hi wir yn ffantastig, ac yn rili hyderus a phopeth. Roedd ei mam a'i thad hi'n deud 'run peth. Dwi'n HOLLOL sicr bydd hi'n mynd drwodd i'r ffeinal.

Nesh i aros i de wedyn – dwi'm yn meddwl fod Mam yn *bothered* iawn lle o'n i – a wedyn aeth Jo a fi i'w llofft hi i siarad. O'n i *isio* deud wrthi hi am Mam a Dad, ond o'n i'n methu. Mae o'n eitha embarrassing dydi, trafod y rinclis? Ac eniwê, ma' rhieni pawb yn ffraeo, tydyn? Hyd yn oed rhai Jo. 'Di'r ffaith mod i heb *glywed* nhw'n gneud yn golygu dim.

Mi ddoish i adre wedyn a diflannu i'r llofft eto. Ma' Dad allan, a Taylor yn gneud gìg mewn parti priodas. Ma' Hayls 'di syrthio i gysgu efo fi ar y gwely. Ma' hi jyst fel potel dŵr poeth. Dwi'n falch iawn ei bod hi yma.

Dydd Sul, Gorffennaf 26ain

13.15

Dydd Sul. Llofft. Bwrw. *Borrrrring!*

I be ma' dydd Sul yn dda? Yndi, ma'r rinclis yn mynd i'r capel, ond gan mod i'n credu mewn Bod Uwch fatha cymysgedd o Dduw a Bwda ac Allah a Bob Geldof, does 'na'm pwynt mynd. *Actually*, mi fydda fo'n rhagrithiol. Dwi *fod* i fynd i'r Ysgol Sul, ond dwi 'di deud wrth Mam mod i'n *allergic* i ganu emyna.

Ma'r Fuhrer wedi bod yn capel bore 'ma. I ofyn am faddeuant dros ei phechodau'n erbyn Pops druan gobeithio. Glywish i o'n dod i mewn am 2.47 bore 'ma. Mi wn i hyn oherwydd iddo fo faglu yn erbyn y bwrdd ffôn a deud gair ofnadwy o rŵd wrth neud.

Tybed sut betha sy yn nyddiaduron pobl eraill? Un peth sy'n sicr, dwi'n siŵr does 'na neb arall efo storis ffraeo rhieni rownd y fflipin rîl fel sy gen i.

Ma' mamau a thadau i *fod* yn aeddfed, dydyn? Dyna 'di'u job nhw. Ond ma' arna i ofn mod i 'di cael rhai *faulty*. Dy'n nhw'm yn gweithio'n iawn. Gen i hanner meddwl mynd â nhw nôl i'r siop a gofyn am fy mhres yn ôl! Beth bynnag, dwi 'di penderfynu. Dim mwy o sgwennu am rieni. Dim tra ma' petha mor normal am unwaith. Ma' Dad yn sgwrsio efo'r tomatos yn y tŷ gwydr (o leia tydi'r peli bach coch ddim yn hefru arno byth a beunydd) a ma' Mam yn smwddio. Jest fel unrhyw gwpl normal ar ddydd Sul.

Yr unig broblem ydi mod i'n *bored*. At ddagrau. Dwi 'di ffonio Jo, ond ma' hi ar ei ffordd i weld ei nain ym Mhenrhyndeudraeth. Ma' nain Jo yn gneud *line-dancing* a ma' 'na gystadleuaeth ym Mhorthmadog heddiw. Ma'r teulu i gyd yn mynd i wylio. Tydi hi'm chwarter call, nain Jo. Ma' hi'n gwisgo het Stetson a sgert fini denim er ei bod hi'n 120 mlwydd oed, ond ma' hi'n andros o laff.

18.35

Wel, ffor-fflip-fflop's-sêc … *pam*??? Pam heddiw o bob diwrnod, pan o'n i'n edrych fel drong. Drong tew, chwyslyd efo wyneb pizza hefyd! Pam *fi*, o Fod Mawr??!

Dwi'n beio dydd Sul. Tasa fo ddim mor stwnshio-dy-ben-di o boring, faswn i ddim wedi penderfynu mynd i loncian. A taswn i ddim wedi penderfynu hynny faswn i ddim wedi trio bod yn Kelly Holmes a rhedeg fel lŵn drwy Coed Llan. A disgyn dros fonyn coeden nes bod fy mhen-ôl (sy mor fawr nes 'i fod o'n haeddu ei basbort ei hun) fyny yn 'r awyr. A tra mod i'n gorwedd yno, pwy sy'n digwydd pasio ond Fo. Y Duw Rhyw ei hun! Dwi'n meddwl fod y Duw go-iawn wedi rhoi jincs arna i achos mod i'n credu yn y Bod Mawr yn lle ynddo Fo. Toes 'na ddim eglurhad arall posib.

Y peth gwaetha oedd 'i fod o mor neis. Ddaeth o ata i a gofyn os o'n i'n iawn, a helpu fi i sefyll a phopeth.

'Nag'yt ti'n meddwl fod hi'n beryg i ti fod 'ma ar dy ben dy 'unan?' medda fo. Oedd, roedd o'n siarad Cymraeg ac roedd ei lais o *mor* neis bu bron i mi syrthio i'r llawr eto.

'Ym … na,' oedd yr unig beth o'n i'n gallu'i ddeud ar y pryd. Pathetig!

'Wel, os ti'n olreit … well i mi fynd. Ma' nheulu fi wrth y car. Wela i di 'to.'

'Iawndiolchtra,' medda fi, fatha dalek. Dyma fo'n rhoi chwiban rhwng ei ddannedd a ddo'th y ci Labrador melyn 'ma o rywle, a bowndio ato a neidio hyd 'ddo fo, yn llyfu'i wyneb. Ges i'r awydd sydyn i neud yr un peth, ond roedd rhan fach o mrên i'n dal i weithio ac yn deud wrtha i y bydda fo'n meddwl mod i'n hollol boncs wedyn, yn hytrach na jest yn damad o nytar. Felly mi sefish i yno, fatha cerflun Lloyd George, efo'n llaw yn yr awyr. Drodd o'n ei ôl.

'Ym … ti'n siŵr bo' ti'n olreit, wyt? So ti moyn lifft i rywle?'

Fatha'r Uned *High Security* agosaf?

'Na … diolch … ym … ym … dwi'n iawn.' Wel, mater o farn ydi hynny, debyg!

'Hwyl te.'

'Hwyltatra.'

A sylwish i, wrth iddo fo fynd, fod 'y mraich i'n dal yn yr awyr, ond pan driish i dynnu hi nôl at fy ochr roedd hi'n gwrthod byjio. Roedd hi'n dal i estyn allan – fatha un o'r merched 'na mewn ffilmia du a gwyn ar y teli ar bnawn Sadwrn.

Erbyn i'r Duw Rhyw fflotian i ffwrdd roedd 'y mraich i wedi dychwelyd at weddill 'y nghorff i, ac roedd hi'n dechrau oeri, felly ddoish i adre. A sbio yn y drych. A rŵan ma' 'na beryg y daw mywyd i ben oherwydd yr hyn welish i yno.

Ma' hanner Coed Llan yn fy ngwallt. Wir rŵan, dwi'n edrych fatha taswn i fod i neud y Ddawns Flodau yn y steddfod unrhyw eiliad.

Ma' 'na naw gwahanol *blemish* ar fy ngwyneb. Rwyf felly'n gymwys ar gyfer statws llawn Pizza Pepperoni. Llongyfarchiadau, Sadie.

Ma' gweddillion cinio dydd Sul ar fy nghrys-t hynafol.

Ma'r holl *ensemble* (gan gynnwys fy nghroen i) yn binc llachar – gyda'r canlyniad mod i'n debyg i gandi fflos ANFERTHOL.

Rwyf felly'n dod i'r casgliad bod fy mywyd, fel y mae'n bodoli ar hyn o bryd, yn dod i ben heddiw, ac nad oes sicrwydd beth, os unrhyw beth, ddaw yfory. Yr unig ateb, dwi'n meddwl, yw i lansio *Operation Sadie*, a hynny'n syth bin-san.

21.33

Hyd yma, tydi pethau ddim yn edrych yn addawol. Driish i ffeindio rwbath i wella croen yn y bathrwm, ond toedd 'na ddim byd yno. Gofish i'n sydyn bod mwd yn llesol, felly allan â fi i'r ardd i hel peth (gan fod hyn yn fater o argyfwng). Wedi'r cwbl, mwd 'di mwd yndê? ... Ymm, na! Pan dynnish i'r mwd chwarter awr yn ddiweddarach roedd fy ngwynab i fel radish, ond tua ugain mil gwaith mwy. Grêt! Roedd *mon père* yn methu stopio chwerthin, wedyn o leia dwi 'di codi'i galon o ...

'Dwi newydd roi stwff lladd chwyn ar y patshyn yna,' medda fo.

'Wel, ma' hynna'n beth *anghyfrifol a pheryglus* i neud,' medda fi.

Stopiodd o chwerthin. 'Ti'n dechra swnio fatha dy fam.'

Ofynnish i iddo fo wedyn os oeddan nhw'n mynd i gael difôrs. Oedd 'na eiliad cyn iddo fo ateb.

'Nac'dan siŵr, Plwmsan. Pob cwpwl yn ffraeo, tydyn?'

'Ydyn nhw? Cymaint â hyn?'

'Ty'd,' medda fo wedyn. 'Awn ni i drio ffeindio pridd mymryn glanach i ti gael plastro dy wyneb.'

Ond to'n i'm yn meddwl fod hynny'n syniad da. Dwi'n ista yn fy ngwely'n *massage-io* fy ngwyneb efo blociau rhew ac yn gweddïo i'r Bod Mawr y bydd fory'n ddiwrnod gwell.

Dydd Llun, Gorffennaf 27ain

21.51

Hip hip ayb! Toes 'na ddim *un* peth wedi mynd o'i le heddiw. Dwi 'di penderfynu mai *agwedd* ydi'r ateb. O'n i'n darllen *Cosmo* Mam neithiwr efo fy ngwyneb radish anferthol (mae o wedi shrincio i faint radish canolig rŵan, sy'n help). Eniwê, roedd 'na erthygl am feddwl yn bositif ynddo fo, ac roedd o *wir* yn ddefnyddiol. Fel arfer, ma' cylchgronau Mam yn sôn am dips rhyw a merched o Bangladesh efo un goes sy'n rhedeg marathons (a da iawn nhw, wrth gwrs) ond ro'n i'n ffeindio'r erthygl yma ... wel ... yn fwy o help ymarferol. Yn fy mywyd bob dydd.

Y peth pwysig i neud ydi *gweld a dychmygu*'r hyn 'dach chi isio i ddigwydd. Fatha gweld dy hun yn pasio arholiadau efo 90%+ ymhob pwnc a gwynab Nerys Kathryn yn crebachu fel taten trwy'i chroen sy 'di bod yn popty'n rhy hir. Neu dychmygu'r Duw Rhyw yn gafael yn fy llaw ac yn deud nad ydi'i fywyd o wedi bod yr un fath ers iddo fo ngweld i yng Nghoed Llan ddoe. O, digon hawdd chwerthin a deud mod i'n byw yng Ngwlad Cwmwl Cwcw *ond,* (meddai'r erthygl) y credu sy'n bwysig. Felly neithiwr, roish i gynnig arni. '*Ma'* ngwyneb i'n mynd i shrincio o faint creadur od ar Dr Who erbyn y bore,' medda fi wrth Hayley. 'Ecstyrminêt,' medda hi, yn trio bod fel dalek. Roedd hi fod yn ei gwely ers oria beth bynnag.

Bore 'ma, mi nesh i'r golchi, mi fues i'n chwarae efo Hayls a Ben tra bod Nicky B.o.N. yn hwfro tu mewn i'r chwaraewr CD, a mi nesh i hyd yn oed fynd â phaned i Taylor – a mentro croesi'r rhiniog! Nid ar chwarae bach mae rhywun yn gneud, gan fod 'na nwyon gwenwynig yn y stafell yna – a phlatia/cwpanau sy 'di bod 'no ers 1988. Deud y gwir, roedd o fel camu i fydysawd arall – lle ma' popeth yn ddu a llwyd a myglyd. Osodish i'r baned ar y bwrdd bach gwely, drws nesa i rwbath fu unwaith yn weddillion brechdan.

'Paned,' medda fi, fel rhyfelwraig ddoeth a dewr.

'Wwniolchwwff,' medda Taylor o dan y glustog. Tydi'r creadur ddim wedi dysgu siarad yn iawn eto.

Erbyn i mi fynd lawr grisia, roedd Ben yn trio llnau Hayls efo dystyr a pholish. Toes 'na'm rhyfedd deud y gwir. Gora po gynta ddaw Vince adre, dduda i. (N.B. Atgoffwch fi sôn am Vince y *body builder* sy'n gweithio ar y rigs olew yn yr Alban a sy hefyd yn ŵr druan i Nicky B.o.N. Ond ddim rŵan.)

Nesh i gadw meddwl yn bositif a rhoi bath cyflym i Hayls cyn mynd â hi draw i dŷ Heather gan mod i'n mynd i weithio i *Macsi*. Roedd Heather mor llawn bywyd ag erioed. *Not*.

'Pigo hi fyny erbyn chwech, ia?' medda hi, yn edrych yn *depressed* iawn am y peth, cyn iancio Hayls i'r tŷ a slamio'r drws yn fy ngwynab. Ond 'di o ddim ots, ddudish i wrth fy hun, achos ma' heddiw'n ddiwrnod newydd, mewn wythnos newydd, ac ma' popeth yn mynd i fod yn newydd ac yn lân ac yn sgleiniog.

Gyrhaeddish i *Macsi* yn gynnar. Dim ond Carol oedd yna. Edrychodd hi'n od arna i.

'Be ti 'di neud i dy wynab, Sadie?'

Nesh i egluro am y mwd, a dyma Carol yn ysgwyd ei phen arna i'n drist.

'*Chakras*,' medda hi o'r diwedd. Yn ôl Carol, ma'n bryd i mi wrando'n fwy gofalus ar anghenion ysbrydol fy nghorff. Neu rwbath fel 'na …

'Ma' dy *auras* di'n rhedeg reiat, cariad bach. Ma' nhw wedi clymu i gyd! Ti angen llonyddwch, trefn … ti angen ffeindio dy ganol llonydd eto.' Pfff! Angen *colli* fy nghanol llonydd ydw i, ond ddudish i mo hynny wrthi.

'Gad i ni ofyn i'r Oracl, ia?' medda hi, gan godi honglad o lyfr o'r enw *Crystals and Healing*. Yn ôl pob sôn, dwi angen cymysgedd o *quartz* a *topaz* a fydda i 'ddim yr un un'. 'Ddo i â sampls i mewn i ti,' medda hi wedyn.

Sampls? Be ma' hi'n neud? Brasgamu drwy Eryri ar ddydd Sadwrn efo cŷn a morthwyl yn colbio lympia o gerrig a'u halio nhw adre? Mae o'n bechod, deud gwir, achos fel arall ma' hi'n eitha normal.

Gyrhaeddodd Anti Trace wedyn. Ffiw!

'Wyt ti 'di bod yn crio?' medda hi pan welodd hi.

'Ma'i *chakras* hi allan ohoni,' medda Carol yn wybodus.

'Felly!' medda Anti T a wincio arna i. Nath hi'm gofyn ddim mwy am y peth, oedd yn braf.

Pnawn 'ma, fues i'n 'gwisgo' ffenast y siop ar gyfer y sêl haf sy'n cychwyn ddydd Mercher.

'Dwi isio *input* gen ti Sadie,' medda Anti Trace. 'Mi wyt ti'n ifanc ac yn trendi, dwyt? Pa thema fasa'n gweithio?'

Nesh i ddewis thema Parti Traeth. Roedd y *mannequins* merched mewn bikinis streips lliwia candi ac oedd ganddyn nhw sarongs a sgertia bach ra-ra (achos tydi pawb ddim isio dangos 'i fol, nacdi?) Roedd y dynion mewn dillad syrffio: shorts hir, crysau-t tynn a trainers cŵl. Dyna'r math o ddillad ma'r D.Rh. yn wisgo, feddylish i, yn syllu i lygaid un o'r *mannequins*.

'Sgen ti gariad 'ta, Sadie?' medda Anti T. Fflamgoch *alert*. Ma'n rhaid bod hi 'di ngweld i'n sbio'n dronglyd ar y dymi. Nesh i ysgwyd 'y mhen.

'Wel. Digon o amser i betha felly, toes? Nei di basio'r sbectols haul 'na i mi?'

Erbyn amser paned roedd y ffenest wedi'i gorffen. Ma' Anti T yn deud bod gen i 'lygad' dda.

'Wir rŵan, ma' gen ti *flair*. Ti 'di etifeddu hwnna gan dy

fam, debyg.'

Mam? Ie, rrreit!

'Pan oedd dy fam 'run oed â ti, dyna oedd hi isio'i neud.
Cynllunio. *Interior Design.*' Mein Fuhrer ar *Changing
Rooms*? Ym … helô?!

'Be ddigwyddodd, 'ta?' medda fi. 'Sylweddoli bod hi'n
hopeless?'

Grychodd Anti T ei thalcen. 'Pam wyt ti mor annifyr efo
dy fam?'

Godish i'n sgwydda, a dechra byseddu un o'r sgarffiau yn
y bocs.

'Cyfarfod dy dad nath hi, beryg. Priodi, a chyn iddi droi
rownd roedd Taylor ar y ffordd. Cha'th hi rioed gyfle
wedyn, am wn i.'

Ar y bws adre, o'n i'n meddwl am be ddudodd Anti
Trace. *Ma'* tŷ ni wastad yn edrych yn cŵl. Dwi rioed 'di
meddwl am y peth o'r blaen, ond ma' 'na … fatha thema
ymhob stafell. A ma' popeth yn matsho. Ma' Jo yn deud o
hyd bod hi'n jelys o'n llofft i. Ma' hi'n biws golau ac arian
i gyd, a'r sgyrtins mewn porffor tywyll, 'run lliw â'r llenni.
Mam nath y cwbl tua blwyddyn yn ôl. Falle *bod* ganddi hi
fymryn o dalent wedi'r cwbl.

Pan gyrhaeddish i adre, roedd Mam wrthi'n rhoi ei cholur
yn barod ar gyfer ei noson allan.

''Dach chi'n edrych yn neis,' medda fi.

Syllodd hi arna i fel taswn i'n sbïwr o'r KGB.

'Be wyt ti isio?'

'Dim. O'n i'n darllen rwbath am feddwl yn bositif
neithiwr. A dyna dwi 'di bod yn neud drwy'r dydd heddiw.'

Sniffiodd Mam. 'Ma' Hayley 'di gollwng polish gwinadd
ar hyd dy dwfe di. Meddylia'n bositif am hynna!'

Weithia, de, dwi *wir yn* teimlo fel rhoi *give-up* ar y ddynes
'na.

'Neud patrwm neis,' gynigiodd H fel eglurhad am y llanast. Falle bod hitha'n artistig hefyd. Wel, ma'n rhaid i bob Picasso gychwyn yn rhywle, debyg …

Ta waeth, dwi'n mynd i roi'r dwfe yn y golch a mynd am y ciando. Dawnsio gwirion fory. Meddwl yn bositif, meddwl yn bositif …

Dydd Mawrth, Gorffennaf 28ain

22.15

Newyddion MAWR! Hiwj, deud y gwir. 'Dan ni'n *GWBOD PWY YDI O*!!!! Y Duw Rhyw, hynny ydi … O, a newyddion ych a fi hefyd.

Roeddan ni 'di bod yn dawnsio gwerin bore 'ma. Ma' Siani Flewog 'wedi dotio' at ein datblygiad. Dwi'n meddwl ei bod hi'n dechrau meddwl y dylian ni droi'n broffesiynol a theithio'r byd fatha Riverdance. Na, no, non, niet!

Roedd Jo yn llawn sôn am Borthmadog a'r hogyn del oedd yn gwerthu hufen iâ o'r fan wrth ymyl y cob. Trio gneud fi'n genfigennus ma' hi, wrth gwrs, jest oherwydd bod ganddi hi ddim job bwysig yn y diwydiant *retail*.

Ma' Gafyn wedi dal yr haul. Fuo fo'n pysgota môr efo'i dad drwy'r penwythnos, a rŵan ma' ganddyn nhw lond ffrij o fecryll.

'Ma' Mam 'di colli'i limpyn, methu gwybod sut 'dan ni'n mynd i'w bwyta nhw i gyd. Gymri di rei?' ofynnodd o wrtha i.

'Ddo i'n ôl atat ti,' medda fi. O'n i'n gobeithio bod o heb ddod â nhw efo fo.

Roedd Fflur Haf yno eto, yn edrych yn ddigon bodlon a 'styried bod y Maffia ar ôl ei thad. Roedd hi'n gwisgo dillad syrffio oedd yn edrych yn eitha drud, a sonish i wrthi am *Macsi* a deud y dylia hi alw draw.

'Diolch,' medda hi, a rhoi gwên fach.

Dwi jest *methu* penderfynu amdani hi. Weithia, dwi'n meddwl bod hi'n sbio arna ni ac yn meddwl bod hi'n well na ni. Dro arall, dwi'n meddwl bod hi'n swil. Neu falle bod hi jest yn diodda trawma oherwydd yr hyn sy 'di digwydd i'w theulu.

'Yn lle oeddet ti'n arfer byw 'ta?' ofynnish i.

'Caerdydd. Wel, jyst tu fas a gweud y gwir. Yn Llantrisant.'

'O ie.' Toedd gen i ddim clem. 'Ma'n rhaid fod o'n eitha gwahanol. Bod fyny fa'ma?'

'Ym … Odi.' To'n i'm yn siŵr os oedd hi'n chwerthin arna i, ond benderfynish i feddwl yn bositif.

'Be wyt ti'n licio'i neud, 'ta?'

'Fi'n lico canu, perfformio fel.'

'Fatha Jo! Ma' hi'n mynd i gyfweliad ar gyfer *y Sioe Dalent*.'

'Fi'n neud mwy o bethe fel steddfode. Unawde a chanu gwerin … dim byd ecseiting! … O, a fi'n whare sboncen 'da Caron weithie.'

'Ffrind i ti?'

'Brawd. So fe'n enw cyffredin iawn. Ma' Mam yn dod o Dregaron, t'wel.'

'O.' O'n i'n teimlo 'chydig yn sdiwpid. 'Ma' gen i frawd 'fyd. Taylor. Drong.'

'Ma' Caron yn olreit. Fydd e'n cychwyn yn yr ysgol hefyd. Blwyddyn 11.'

'Be wyt ti'n neud ar benwythnosau, 'ta?' medda fi.

Ddisgynnodd ei wyneb hi wedyn 'O'n i arfer mynd mewn i Gaerdydd ar bnawn Sadwrn. Treial dillad a *make-up* a phethe.'

'Ma' Jo a fi'n mynd i'r dre ar ddydd Sadwrn weithia,' medda fi. 'Ty'd efo ni. Siŵr bod o ddim gystal â Chaerdydd, ond 'dan ni'n cael laff 'run fath.'

Cwbl ddudodd hi oedd 'diolch', wedyn dwi'm yn siŵr os oedd hi isio. Ac eniwê, chafodd hi'm cyfle i ateb, achos alwodd Siani Flewog ni'n ôl am sesiwn arall o ŵ-hŵio. O, ma' fy mywyd yn llawn sbort a sbri! *Not!*

Ar ddiwedd yr ymarfer, adawodd Fflur ar dipyn o frys, fel y tro dwytha.

'Alle'r *snipers* fod yn rhywle ti'n gweld,' medda fi wrth Jo. 'Ty'd i weld os gawn ni gip ar 'i thad hi, gweld os 'di'i wyneb o'n dangos y straen.'

Erbyn i ni ddod allan o'r ysgol roedd Fflur yn agor drws cefn car mawr arian. *Audi* ydi o medda Gafyn, a tydi'r rheiny ddim yn dod yn rhad. Ta waeth, *wrth* i ni redeg draw i chwifio ta-ra (a chael cip agosach) *pwy* welson ni'n eistedd yn y sedd flaen ond ... Y Duw Rhyw!!!

Wrth gwrs. *I mean*, mae o'n gneud synnwyr perffaith! Acen y de, yr un gwallt melyn a'r llygaid brown lyfli! (Nid mod i'n ffansïo Fflur Haf, wrth gwrs.) Wn i ddim pam na nesh i feddwl am y peth o'r blaen.

'A chditha'n gymaint o dditectif,' medda Gafyn yn sarclyd i gyd.

'W miaw!' medda Jo, a throi ataf i. 'Wel, be 'dan ni'n mynd i neud, 'ta?'

Ni! Y *Ni*! 'Y fi welodd o gynta,' medda fi.

'Naci ddim!' sgwariodd Jo, a rhoi'i phen ar un ochr a'i llaw ar ei chlun.

'Mi wyt *ti'n* ffansïo Taylor,' medda fi, yn ddigon rhesymol.

''Di'r ots. Ma' hogan fy oedran i yn gorfod ystyried sawl opsiwn.'

Edrychish i arni am eiliad yn ei throwsus tri-chwarter a'i *crop top* bach oedd yn dangos ei bol brown fflat. Roedd 'na ddarnau aur yn ei gwallt hir lle roedd yr haul yn sgleinio arno fo, ac roedd ei llygaid gwyrdd yn llawn direidi. Toedd 'na'm cystadleuaeth, deud y gwir. Benderfynish i chwara ngherdyn ola.

''Dan ni 'di cyfarfod yn barod. Yng Nghoed Llan ddydd Sul. Fuo ni'n siarad am oes. A nath o ofyn i mi am ddêt.'

Ro'n i'n gallu deud nad oedd hi'n credu'r un gair. Ma' Jo *o bawb* yn gwbod sut ddychymyg sy gen i. Felly nesh i ychwanegu manylion. 'Ma' ganddo fo gi. Labrador melyn. A mae o'n gallu chwibanu trwy'i fysedd.'

'A?' Toedd Jo ddim yn *impressed*.

'Nath o … nath o … ddeud … bod gen i lygaid tlws. A bod yr haul yn 'y ngwallt i'n gneud iddo fo edrych fel darnau o aur.'

'Uuuch,' medda Jo yn esgus chwdu. 'Ysdi be, Sadie, ma' hi *wir yn* bryd i ti newid dy ddeunydd darllen. I blant ma' straeon tylwyth teg, 'sti.'

Roedd hynna ymhell o dan y belt (hyd yn oed belt trowsus hipster) felly ddechreuish i arni hi'n ôl. Ddudish i bod o'n pathetig y ffor' oedd hi'n rhedeg ar ôl Taylor, a bod ganddi hi ddim hôps mul efo'r cyfweliad. Ddudodd hi mod i'n byw mewn byd ffantasi a bod Dad yn 'spot on' yn 'y ngalw fi'n Plwmsan. Yn y diwedd, ddudish i wrthi mod i'n cysidro ein cyfeillgarwch yn gamgymeriad anferth, a ddudodd hi '*mae* o'n jôc, ti'n iawn'. Wedyn ddudish i wrthi am gadw draw a ddudodd hi, 'Â chroeso,' a sdompio o'no.

Roedd hynny tua 13 33 pm, a ma' hi rŵan yn 22.35. Naw awr. A dwi'm 'di clywed gair. Ond ei lle *hi* ydi ymddiheuro. Hi ddechreuodd. Ocê, ddudish i betha hyll, ond dim *hanner* mor ddrwg â be ddudodd hi. Ddylia bo ganddi *hi* gwilydd. Dim fi. Dwi'n mynd i gysgu'n sownd heno 'ma a breuddwydio drwy'r nos am Caron. xxx

03.34

Dwi 'di bod yn gorwadd fan hyn yn syllu ar gloc pinc Jo ac yn methu cysgu. Tybed nawn ni fyth siarad eto? Dwi'm yn siŵr os alla i fyth fod yn ffrindia efo hi fel oeddan ni. Dim ar ôl be ddudodd hi. A dwi *wir* yn meddwl fod hynny'n drist.

16.55

Gesiwch lle dwi 'di bod heddiw? Mi rydw *i*, yndê, wedi treulio'r diwrnod … (ffanffer plîs) … ym marchnad Pwllheli! Pwy ddudodd mai dyma flynyddoedd hapusa dy fywyd di? Pwy bynnag oedd o, roedd o'n siarad trwy'i … o'r pen rong! Hanner awr wedi *chwech* bore 'ma, a dyma 'na sŵn mellt a tharanau'n disgyn ar ddrws fy llofft.

'Sei-di! Yn y bore ma'i dal hi!' Am eiliad, ro'n i'n meddwl mai hunlle oedd o. Ymddangosodd y rhith boliog yma o mlaen i. Yncl Kenny. Mewn crys Hawaii efo coed palmwydd pinc llachar hyd 'ddo fo, a siorts at ei benglinia. Yn waeth na hynny, sandals … a sanau pinc *Scooby Doo*.

''Dach chi'n rhoi cur pen i mi. Cerwch o'ma!' medda fi, yn swatio nôl o dan y dwfe.

Roedd Y.K. yn ei hwylia mwya anffodus – h.y. egnïol a phositif. Ar ôl holl ffraeo ddoe, dwi wedi penderfynu gorffwys yr ochr bositif ohona i. Deud y gwir, jest gorffwys. Atalnod llawn.

'Wei-hei *Sei-di*,' medda fo. 'Dwi 'di cael syniad gwych! Efo dy holl brofiad di o'r busnes *retail*, o'n i'n meddwl y baset ti wrth dy *fodd* yn *fflecsio'r* cyhyrau gwerthu 'na ar y stondin efo fi!'

Ges i ddigon o sioc i dynnu fy mhen uwch y dwfe. 'Ydach chi'n *gyfan gwbl* dwlál?' medda fi. 'Ddaeth 'na rywun i'r tŷ neithiwr a dwyn eich *brêns* chi? Ma' hi'n *hanner awr wedi chwech* y bora!'

'Nath dy dad 'y ngadael i i mewn. O'n i'n mynd i ofyn iddo fo ddŵad efo fi, ond mae o'n ailweirio hen gapel yn Rhosgadfan.' Roedd o'n edrych yn dorcalonnus. 'O'n i … jest isio cwmni. 'Chydig o gefnogaeth, ysdi. Y tro cynta i mi fynd â'r stondin.'

Duw a'm helpo fi, gytunish i. Wedi'r cyfan, hwyrach y basa diwrnod i ffwrdd o Lanfor yn llesol ar ôl ddoe. Erbyn 7.30, roedd Y.K., Hayls a fi yn yr hen gronc o fan wen, ag Yncl K yn bibibio'i hochr hi wrth inni bwffian mynd i lawr y lôn.

Roedd hi'n fore braf a chynnes. Bore gore'r ha' hyd yma. Oedd *ddim* yn arwydd dda i fenter Y.K. wrth gwrs.

''Dach chi'n *siŵr* fod hyn yn syniad da?' medda fi.

'Yndi tad.' *In denial.* C'radur. 'Gawn ni frechdan bacwn yn Llanaelhaearn yli.'

'*Os* gyrhaeddwn ni.'

'O chwi o ychydig ffydd...'

'O chwi o ychydig *common sense.*'

Erbyn i ni gyrraedd Pwllheli, roedd y lle'n berwi o bobl. *Actually*, roedd y lle jest yn berwi. Dynnish i fy nghrys chwys *Kasgliad Kartrefol Kenny*, er fod y bòs yn cwyno fod o'n rhan o ddelwedd y gorfforaeth. Ond fel dudish i wrtho fo – 'Stondin marchnad ydi hon, Yncl Kenny, dim fflipin Next. Ac mi dodda i fel hufen iâ yn y Sahara os wisga i hwnna eiliad yn hwy.'

'Hufen iâ a sprincyls!' Daeth cri gobeithiol Hayley o ddyfnderoedd un o'r bocsys.

Roedd y stondinwyr drws nesa'n glanna chwerthin pan welson nhw be oedd stoc Yncl Kenny. Pobl o Birmingham oeddan nhw, dwi'n meddwl.

'*Yaw won't sheefft mouch of that, flower,*' medda'r ddynas yn sbio'n smyg ar ei ffrogia haul a'i thyweli glan môr.

Erbyn amser cinio roedd yr haul yn danbaid, fel y tuedda haul i *fod* ar ddiwrnod crasboeth. Roedd Yncl Kenny, fodd bynnag, yn cymryd y peth yn bersonol. 'Grr,' medda fo, gan godi'i ddwrn yn fygythiol at yr awyr.

'Ym … dwi'm yn meddwl neith hynny fawr o les,' medda fi. 'Fasach chi licio i mi drio *raindance* bach?' Sbiodd o'n hyll arna i, ac yna'n ôl ar yr haul.

'*Mochel dan yr ymbawew tra lalalala,*' medda Hayls, oedd yn blasdar o Ffactor 25 diolch byth achos … Ac yna gesh i syniad. Mochel dan yr ymbarél. *Genius,* Hayls!

'Parasols,' medda fi wrth Yncl K. 'Fedrwn ni werthu nhw fel ymbaréls rhag y glaw *neu* rhag yr haul!' Toedd o ddim yn edrych yn sicr iawn, ond gytunodd o roi cynnig arni. Dyma fo'n diflannu i ddyfnderoedd y fan ac ymddangos efo CD yn ei law a gwên ar ei wyneb.

'*Summer Scorchers,*' medda fo. 'O, atgofion melys, Seidi! Ma' penglinia sawl hogan lwcus 'di mynd yn jeli i synau'r CD yma. Do, wir.'

Llawer, *llawer* gormod o wybodaeth. Iych!!! Ond roedd unrhyw beth yn werth 'i drio, siawns. Wedi'r cyfan, ro'n i'n diogelu buddsoddiad Pops, toeddwn? Ocê, naethon ni ddim yn *bril*, ond lwyddon ni i fflogio saith 'parasol', a hyd yn oed pâr o sî-bŵts i wraig fferm o Nanhoron ar ôl i Y.K. fflyrtio efo hi am hanner awr. Ddechreuon ni hel pethau nôl i'r fan tua han' 'di tri.

'*Yaw deed well considering,*' swniodd y ddynas o Brym.

'*Gift of gab*, mechan i,' medda Yncl K, ac wedyn, 'mae o'n *help* fod pobl yn 'y nallt i'n siarad i ddechra.'

'*Oi loov the Welsh lang-wage,*' medda hi wedyn. '*It's verray sensual.*' Ro'th Yncl K goblyn o winc a gneud ceg sws arni. Trist iawn pan 'dach chi'n gwisgo sanau pinc *Scooby Doo,* ond roedd Ms Brym wrth ei bodd.

'*See yaw again,*' medda hi'n swil. '*We're in Taw-in on Froiday.*'

''Rargol, ma' isio cyfieithydd arni,' medda fo wrth i'r fan gwyno a thuchan ei ffordd i fyny'r allt. Chwerthish i. Sbiodd o arna i wedyn drwy gil ei lygaid. 'Diolch i ti am heddiw,

Sadie. 'Da ni'n dîm da, chdi a fi!'

Gesh i ddiwrnod da heddiw. *Ac* ugain punt gan Ync (gan ddinistrio'i elw, wrth gwrs, ond roedd o'n mynnu). A roedd o *actually* yn sbort. Nid y baswn i'n cyfadde hynny wrth unrhyw un, wrth gwrs. Dim hyd yn oed wrth Jo ... Ond wedyn, tydi Jo a fi ddim yn ffrindia bellach, nac'dan, wedyn pam *faswn* i'n deud wrthi hi?

Dwi 'di checio fy mobeil 'geinia o weithia, a gneud 1471 pan ddoish i i'r tŷ. Dim byd. Iawn 'ta, os ma' fel'na ma' hi am fod, champion.

22.17
Neb 'di ffonio. Tydi Jo a fi rioed wedi ffraeo mor ddrwg â hyn o'r blaen. A 'dan ni'n ffrindia ers 'dan ni'n dair oed.

'Be sy mater arnat ti?' medda Mam heno. 'Ma' gen ti wynab fatha cadach llestri.' Diolch, mami annwyl! Ddudish i'm byd wrthi. Dim ar ôl iddi droi'i thrwyn ar fy marchnata bendigedig ar y stondin.

'Ma' hi'n bryd i Kenny ddechra ymddwyn fel oedolyn!' oedd y cwbl ddudodd hi. A wedyn o dan ei gwynt, 'a Terry hefyd, ran hynny.'

'Newch chi roi'r *gora* i ladd ar Dad *bob* munud,' medda fi wedyn. Ac yn sydyn reit o'n i'n gweiddi. ''Dach chi'n gneud dim byd ond *nagio* fo, o fore gwyn tan nos!'

Ga'th hi gymaint o sioc, ddudodd hi ddim byd. Droish i ar fy sawdl a'i heglu hi fyny grisia. Deud y gwir, nesh i faglu ar y ffordd, oedd fymryn yn dronglyd, ond dio'm ots, nesh i lwyddo i neud fy mhwynt. Tua awr wedyn glywish i gnoc *tawel* ar y drws a llais Mam yn galw fy enw. Nesh i ddim ateb, ac yn y diwedd aeth Mam i ffwrdd.

Dydd Iau, Gorffennaf 30ain

19.12

Ma' fy nghynllun *Operation Sadie* yn datblygu'n 'ddigon del' fel 'sa Siani Flewog yn ddeud. Rydw i wedi yfed galwyni o ddŵr cynnes trwy'r dydd, ac wedi bwyta'r canlynol:

- 1 banana (bach) ac 1 darn o dôst brown (efo mymryn o marj)
- 2 chocolate button (ond dim ond oherwydd bod Hayls wedi'u stwffio nhw yn 'y ngheg i)
- Cinio cynnar cyn mynd i *Macsi* yn cynnwys 1 sleisen o ham, 2 domato, 2 sleisen o ciwc. Chwarter pupur coch, hanner moronen wedi'i gratio a dail letys amrywiol.
- 1 fflapjac organaidd gan Carol yn y gwaith, oedd yn cynnwys sawl hedyn a chneuen faethlon
- 3 chicken nugget (bach), pys, broccoli ac un waffl datws i de.

Dwi newydd bwyso fy hun ac mi rydw i wedi ennill pwys. Ond ma' hyn i'w ddisgwyl, wrth gwrs, efo'r holl ddŵr sy yn fy nghorff i. Ma'n rhaid bod yn amyneddgar wrth neud *detox*. Erbyn wthnos nesa, mi fydd Plwmsan wedi diflannu am byth!! Hip Hip.

Dwi wedi mwynhau diwrnod digyffro a bodlon heddiw ar ôl ailddarllen erthygl *Cosmo* neithiwr a thrafod ymhellach efo Carol. Wedi bore cynhyrchiol (masg avocado, trin ewinedd a thriniaeth ddwys i 'ngwallt) gychwynnish i am y gwaith, gan adael H yng ngofal tyner Heather.

Roedd Ange yn y gwaith heddiw hefyd, a diolch byth am hynny oherwydd roedd hi'n brysur iawn, *iawn* yno. Ma'r sêl yn boblogaidd ac ma' Anti T wrth ei bodd. Liciwn i feddwl bod y ffenest wedi chwarae rhan bach yn y llwyddiant yna.

Gesh i fynd ar y til am y tro cynta heddiw. Rhaid deud nad oedd hyn yn brofiad *cwbl* lwyddiannus. Er fod Ange wedi mynd trwy'r drefn deirgwaith efo fi – 'Ti'n pwyso botwm yna, ia? Wedyn hwnna ia? Ac yna hwnna,' – y funud roish i 'mysedd ar y peiriant, ddechreuodd o neud sŵn manglo annifyr a saethodd y rholyn *receipts* drwy'r system gan adael barf hir o bapur yn chwdu allan. Ond nesh i ddim panicio. Dyna oedd yn bwysig, medda Anti Trace, er bod 'na giw o saith yn disgwyl cael eu syrfio, gan gynnwys Nerys Kathryn (bww!). Gesh i 'ngyrru i dwtio sgidia wedyn 'gan bod hi'n brysur,' medda Anti T.

Wrth gwrs, roedd rhaid i Nerys K ddod draw. 'Wel … ti wedi *setlo* yma, ma'n amlwg,' medda hi. Roedd ei gwefus hi'n cyrlio fel hen frechdan mewn caffi stesion.

'Dwi wrth fy *modd*.' Ro'n i'n benderfynol o fod yn dangnefeddus a llon.

'Clywed bod ti a Jo wedi cael ffisticyffs.'

'Naddo.'

'Catrin Thomas oedd yn deud am y ffrae. Ma' hi a Jo'n fêts penna rŵan.'

Ar ôl *deuddydd*! 'Wel da iawn nhw.'

'Ma'r ddwy yn dod i mharti fi nos Sadwrn, deud y gwir.'

Sut, yn enw Gavin Henson, mae N.K. wedi llwyddo i berswadio'i rhieni i adael iddi gael parti? A mater o bryder mwy sylweddol yw, *sut* ar wyneb daear ma' hi wedi perswadio pobl i *ddod*???

'Dwi wedi rhoi gwahoddiad i Fflur Haf a'i brawd. Ysdi, gan 'u bod nhw'n newydd. A dwi'n siŵr daw Gafyn.'

Deimlish i nhu mewn i'n dechra chwyddo a thynhau fel taswn i'n falŵn. Fflur? Gafyn? Caron!! …

'Wel … mwynhewch!!' medda fi. Roedd fy nannedd i'n gneud sŵn crensian od.

'Siŵr o neud,' medda hi a gwenu'n nawddoglyd.

Ac yna, cyn i mi allu'u stopio nhw, daeth y geiriau o ngheg i: 'Dwi'n mynd i Blaena i weld Nain dydd Sadwrn. A fedra i'm disgwyl.'

Toedd dim gofyn iddi ddeud dim. Ro'n i newydd gladdu fy hun. Drodd Nerys K tua'r drws, cyn ychwanegu 'Siop bach neis, bechod. Dwi'n siŵr y byddi di'n hapus iawn yma.' Ac yna mi lusgodd ei hun allan, fel y neidr ag ydi hi.

Tydw i ddim ofn cyfadda, roedd hyn yn ergyd. Ond dwi'n falch iawn o ddeud i mi gario mlaen i weithio, er mod i wedi dechra paru'r sgidia cwbl rong efo'i gilydd pan ddaeth Anti T draw.

'Tydi *espadrilles* ddim yn mynd efo pymps,' medda hi, cyn gweld y ngwyneb i. 'Wyt ti'n iawn, pwt?'

'Yndw, champion.' Llonyddwch mewnol, llonyddwch mewnol …

Edrychodd hi at y drws, lle roedd hoel seimllyd Nerys Kathryn yn dal i hongian.

'Ma' 'na dwll bach o dan gesail y top 'na brynodd hi. Ond gath hi dalu'r pris llawn!'

Godish i nghalon fymryn wedyn. A thros baned a bisged, rannodd Carol mwy o tips.

'Ma' yoga'n dda iawn ar gyfer cydbwysedd mewnol,' medda hi. 'Dwi'n ffeindio'r Golomen Ungoes yn arbennig o handi. Yli,' dyma hi'n clymu'i chorff i'r siâp anhygoel 'ma. 'Tria di!' medda hi wedyn. Nesh i dagu ar fy *custard cream*.

'Wedyn, ella.'

Ma' hi hefyd wedi rhoi llwyth o grisialau gwahanol i mi. Ma' nhw ar y silff ffenest rŵan, yn sgleinio'n dlws yn yr haul. Yn ôl Carol, dwi fod i'w hanwesu nhw pan dwi'n teimlo emosiynau negyddol a dieflig. Hwyrach y dyliwn i berswadio Mam i gael tro.

Onest tŵ yndê, ma' tymer y d. arni hi. Ma' hi 'di bod yn

hefru ar Pops druan am *ddeugain* munud, dim ond oherwydd 'i fod o 'di anghofio rhoi'r bins allan neithiwr. Chwara teg, roedd y dyn allan yn chwarae snwcer efo Y.K. so be oedd o i fod i neud? Rhedeg adre ar ganol ffrâm? 'W sori, hogia, ma'r misus isio'r *wheelie* ar y stryd erbyn 21.47 fan hwyra. Fydd raid mi fynd!' ia?

Ma' hi'n afresymol. Ac yn flin. Drwy'r dydd, bob dydd. Dwi'm yn meddwl bod hi *isio* i Dad fwynhau ei hun. Fasa hi wrth ei bodd tasa fo'n chwerw ac yn sur fel hen lemon, fel ma' hi. Ma' hi'n gneud i rywun feddwl pam briodon nhw o gwbl, achos ar hyn o bryd, prin ma'n nhw'n gallu bod yn yr un *stafell* heb fod 'na beryg rhyfel byd.

Dwi 'di cau'r drws. Dyna welliant. Tawelwch mewnol. Pan fo stormydd ymhobman.

20.35

Glywish i'r drws yn clepian jest rŵan. Dad yn stormio allan. Mae o wedi dechra gneud hyn yn amlach. Esh i mewn i lofft Mam a Dad i sbio drwy'r ffenest ffrynt. Dyma fo'n halio drws y car yn agored, taflu'i hun i'r sêt flaen a slamio'r drws ar gau. Am eiliad, dyma fo jest yn sbio, fel tasa fo 'di anghofio sut i yrru. Welish i Nicky Bag o Nerves yn sbecian wrth iddi drimio'r gwrych efo siswrn. Ma'n rhaid bod hi'n clywed y cwbl lot drwy'r waliau. Ac yna, taniodd Pops yr injan a bacio lawr y dreif tua can milltir yr awr cyn gyrru i ffwrdd. Roedd Nicky'n sefyll yn stond fel cerflun, a'r siswrn yn dal yn ei llaw.

Fel tasa hyn ddim digon *embarrassing*, pwy ddoth ling-di-long hyd y stryd ond Jo-lleidr-cariadon a'i *sidekick* newydd, Catrin Thomas. Roeddan nhw'n chwerthin. Bownd o fod ar Dad a'i yrru peryglus, achos ma'n *rhaid* bod nhw wedi'i weld o. Ffan-fflipin-tastig! Sut dwi'n mynd i wynebu *hynna* bore fory yn dawnsio gwirion? Wrth iddyn nhw basio, dyma Jo yn plethu'i braich yn un Catrin a throi'i phen i edrych at y tŷ. A gwenu gwên fel cath cyn pasio heibio.

Wn i ddim pam dwi'n crio. Hi sy ar ei cholled. Ac mae o'n pathetig, deud gwir, bod hi'n gorfod paredio o flaen tŷ ni fel'na jest i brofi fod ganddi ffrindiau. Dwi'm angen profi dim i neb. Os gerddith hi heibio unwaith eto, dwi'n mynd i gael un o'r petha rhwystro 'na. Llythyr twrna. Sy'n deud bod hi'n harasio fi. Mi wna i. O gwnaf!!!

21.50

Tydyn nhw heb fod yn ôl, sy'n beth da. Nesh i aros yn y ffenest tan rŵan jest i fod yn siŵr. Mam nath fy hel i o'no – ma' hi'n dda iawn am neud hynny!

'Be wyt ti'n da'n fan'ma yn y twllwch?' medda hi, gan droi'r golau mawr ymlaen. Welish i smotiau piws o flaen fy llygaid am eiliad.

'Cer i dy lofft dy hun, yn lle stelcian yn fan'ma.' Tydi hi'm yn licio i ni fynd i'w llofft hi. Dwi'n meddwl bod hi'n gweld y lle fel sanctwm mewnol. Pff! Ie, reit.

Wrth i mi fynd, nesh i sylwi bod yr hen *camp bed* wedi dod lawr o'r atig, ac yn cuddio wrth ochr y wardrob.

'Be 'di hwnna?' medda fi.

'*Scotch mist*,' medda hi. Ac yna mi ochneidiodd hi'n hir a chau'i llygaid ac am eiliad roedd hi'n edrych yn hen, hen. Pan agorodd hi'i llygaid, roedd ei llais yn feddal.

'Sori,' medda hi. 'Jest … cer i dy wely, cariad. Fydd popeth yn well yn y bore.'

Hmm. Pam mod i'n cael hynny mor anodd i'w gredu?

Dydd Gwener, Gorffennaf 31ain

17.15

Y peth pwysig am bore 'ma ydi mod i wedi dod drwyddo fo heb glwyfau angheuol. Dyna ydi'r pwynt.

Gafodd petha eu cymhlethu ben bore. Ffoniodd Heather i ddeud bod ganddi 'byg' ac na alla hi warchod Hayley am resymau iechyd a diogelwch. Eglurish i wrth Mam fod yr hen Hedd yn hoff iawn o ddal haint 24 awr pan ma'r haul yn disgleirio a hithau'n ffansi pnawn yn yr ardd gefn.

'Paid â bod yn sbeitlyd, Sadie,' medda Mam wrth jecio'i hadlewyrchiad yn y tegell. 'Fydd raid i ti fynd â Hayley efo chdi, felly.'

'O, plis, dim *bore* 'ma. Fedar Taylor ddim … jest am unwaith …?'

'Ma' gan Taylor gyfweliad.'

'Efo pwy?' (Ma' rhaid bod nhw'n despret!)

'Yn y ganolfan hamdden.'

Yr eiliad nesa, pasiodd Taylor yn ei drôns. 'Bore,' medda fo. 'Mae o'n eitha grŵfi, tydi?' Anaml iawn mae o'n gweld bore. Ro'n i'n gegrwth. Dyna'r *union* air.

'Cau dy geg, Sade, neu fydd y pryfaid yn cael … fel … *field day*.' Snortiodd Taylor ar ei jôc a chipio'r darn tôst *granary* o nwrn i. Caeodd y drws yn slap tu ôl i Mam ac ro'n i'n styc efo H!

Erbyn i ni gyrraedd i'r ysgol roedd 'na glwstwr bach tu allan i'r giatiau. Roeddan nhw i gyd yn siarad yn glòs, fatha nythaid o wrachod. Agorodd y nyth wrth i ni nesáu: Jo, Catrin, Nerys a'r hen jadan Kim yna o Flwyddyn 10 oedd yn ei chanol hi. Roedd Gafyn yn sefyll ar ben ei hun, yn edrych yn annifyr. 'Ma' Siani Flewog yn hwyr,' medda fo. 'Haia Hayls!' Rhedodd Hayley tuag ato fo a sgrechian 'Weeeee!' wrth iddo fo 'i chodi hi a'i throi hi rownd a rownd. Dyma Jo yn chwythu drwy'i thrwyn fatha bod hyn y peth gwiriona welodd hi rioed.

Diolch *byth* bod Gafyn yna yn ystod y munudau yna, neu dwi'n meddwl y baswn i wedi cerdded o'no. Roedd o jest yn … ych a fi. Fedra i ddim meddwl am air gwell, sori. Toedden nhw ddim yn *gneud* dim byd, jyst snigro a sbio, ond ro'n i'n teimlo fel baw. Ac ar ben hynny, roeddan nhw'n sbio'n hyll ar Hayls hefyd, jest achos 'i bod hi'n chwaer i mi! Roedd o fel tasa nhw'n gwrthod cyfadda mod i yno, mod i'n bodoli hyd yn oed. Dim ots gen i am y gweddill, ond *Jo*! 'Dan ni wedi rhannu pob cyfrinach ers pan oeddan ni'n dair oed. Sut medar hi actio fel taswn i'm yn fyw? Y cwbl nesh i oedd sefyll yn llonydd a sbio ar y car glas oedd 'di parcio'r ochr draw i'r lôn. Deimlish i ddagrau'n dechrau pigo tu cefn i'n llygaid a nesh i esgus mod i'n rhwbio huwcyn cwsg o'no. Glywish i lais yn deud 'babi mami'n cwwwwio,' ond nesh i ddim troi mhen. Cododd Gafyn fy mag i a'i roi o'n ôl ar fy ysgwydd.

Ac yna, wrth gwrs, gyrhaeddodd achos yr holl boetsh. Nesh i nabod y car arian o bell, a gostwng fy mhen.

'Wel dyma *fo*,' meddai llais. 'Ambell *un* yn meddwl fod ganddi hi *hawl* dros yr hogyn yn y car yna,' a dyma'r nyth yn dechra chwerthin fel un … 'Lŵp-di-lŵp os 'di hi'n meddwl fod ganddi hi *chance*!'

Oedd rhaid i mi gael deud rwbath.

'Nesh i *ddim* deud fod gen i *hawl*, Jo. Deud bod chdi'n ffansïo Taylor nesh i!'

'Duw a ŵyr pam, chwaith. Cysidro pwy 'di'i chwaer o!'

Ie, ffraeth iawn, Nerys. *Not*.

Ddudodd Jo ddim byd, 'mond ysgwyd ei phen a throi i ffwrdd. Agorodd drws y car a daeth Fflur Haf allan. Nesh i ddim hyd yn oed sylwi os oedd Caron yno neu beidio. Erbyn iddi groesi'r ffordd, roedd hi wedi synhwyro bod rwbath o'i le. G'raduras. Ro'n i wir yn teimlo drosti. Ma'n ddigon drwg i bobl fel Gafyn – er 'i fod o'n hogyn, mae o'n dallt sut ma' petha'n gweithio'n 'rysgol ni – ond toedd gan Fflur ddim obedaia fel'sa Nain yn ddeud. Safodd hi'n reit anghyfforddus rhwng y ddwy garfan am ychydig, cyn i Hayls redeg draw ati a gweiddi 'Isio chwawa cuddio?' Chwarddodd hi a cherdded draw aton ni. Daeth ochenaid fawr o rengoedd y gelyn. Onest tŵ, yndê, roedd o fath yn union â hen ffilm cowbois pan ma' rhywun yn meiddio cerdded draw at y Badi yn y salŵn.

Cyrhaeddodd Siani Flewog wedyn, yn llond ceg o boer ac ymddiheuriadau.

'Sslori boblls,' medda hi. Am eiliad ro'n i'n meddwl 'i bod hi 'di meddwi, ond dim o'r fath lwc. Roedd y deintydd wedi bod yn brysur yn trin ei molars. 'Dau flilling,' medda hi gan ddriblo o ochr ei cheg. 'Reit ta, mlewm â ni!'

Ar unrhyw ddiwrnod arall, mi faswn i wedi chwerthin nes o'n i'n sâl ar Siani'n trio hyfforddi tra'n swnio fel yr *Elephant Man*.

'Un … dau … tllffi a tlloi, tlloi … a sllgipio,' medda hi, yr un mor eiddgar ag erioed. 'Ffflantastig boblls, ffffflantastig!'

Ie, ffffflantastig yn wir! O leia roedd ei dannedd yn ormod o boendod i neud iddi sylwi ar y tensiwn yn y stafell. Yn ystod y brêc, aeth yr hogia allan i chwarae pêl-droed ac aeth Hayls a fi i'w gwylio nhw. Ymunodd Fflur â ni. Ro'n i'n synnu. O'n i'n meddwl y basa'r gwrachod wedi'i hel hi i'r nyth. Roedd hi'n dawel am eiliad.

'Ti'n olreit?' medda hi.

Nesh i nodio. 'Yndw. Yn bendant. Champ, fi.'

'Pobl yn galler bod yn ffiedd withe, 'yn dy'n nhw? Merched yn arbennig.'

'*Bitchy*,' medda fi, a chwerthin.

'Grynda,' medda Fflur. 'Os y't ti'n ca'l dy fwlio, ma' *raid* ti ... wel wneud rwbeth. Achos cario mla'n wnaiff e, fi'n gweutho ti.'

'Na, ti 'di camddallt. Dwi'm yn cael fy mwlio.'

Roedd hi'n amlwg o wyneb Fflur nad oedd hi'n credu'r un gair.

'Na, wir rŵan, tydw i *ddim.* Y peth ydi, yndê ...' Nesh i stopio'n stond. Toedd 'na no wê ar wyneb daear y Bod Mawr o'n i'n mynd i ddeud wrth Fflur:

1. Dwi'n ffansïo dy frawd di yn ddifrifol ... a hwyrach mod i wedi syrthio amdano fo'n llwyr.

2. Ma' Jo a fi wedi cychwyn Rhyfel Byd oherwydd bod hi'r un mor awyddus i gael ei gwinadd (ffals) arno fo.

Felly mi ddudish i 'Dwi'n *iawn,* dwi'n *iawn,*' drosodd a throsodd nes gesh i'r bendro, ac yna galwodd Siani ni'n ôl i'r neuadd.

Barodd yr ymarfer am *flynyddoedd.*

Ond o'r diwedd, roedd Siani'n fodlon. ''Dach chi *werllth eich glweld. Ffllonngyfarchiadau!'* Glaniodd darn bach o boer yn fy llygad. 'Fflwr â chi!'

Wrth fynd, dyma Fflur yn dod ata i a gofyn am rif fy mobeil. Wrth i mi roi ei rhif hi i mewn yn fy ffôn, ollyngish i law Hayls a redodd hi draw at Jo a'r gweddill.

'Haia Jojo,' medda Hayley, gan estyn ei breichiau ati efo gwên fawr ar ei wyneb. Edrychodd Jo arni am eiliad, ac yna arna fi, a throi ei chefn. Dyna oedd darn gwaethaf y bore i gyd.

Daeth Gaf am baned efo fi. Naethon ni benderfynu peidio mynd i Caffi Ni, jyst rhag ofn.

'Gwranda,' medda fo, wrth droi'r llwy yn y gegin, 'dwi'm yn dallt yn iawn be sy 'di digwydd ... 'blaw bod o'n rwbath i neud efo'r hogyn 'na. A tydw i'm am gymryd ochrau – dwi'n licio Jo hefyd, felly sortia fo, Sade. Ma' ffraeo fel yma'n blentynnaidd.'

'Nid fi ddechreuodd o.'

'Ti'n swnio fel tasat ti yn 'rysgol feithrin! Ty'laen Sade, difaru nei di!' Dyma fi'n nodio'n wangalon yn ôl.

Grwydrish i a Hayls rownd y dre am sbel wedyn. Brynish i hwfyr bach plastig iddi hi efo fy nghyflog o *Macsi*. Roedd hi wrth ei bodd.

Disgwyl y bws oeddan ni pan basiodd o heibio. Gochish i'r funud y gwelish i o, ochr draw i'r lôn. Ma'n rhaid fod o 'di teimlo rywun yn sbio achos gododd o'i lygaid a'n gweld ni'n sefyll 'na. Waeddodd o draw.

'Haia! Ti'n olreit te? Dim gwa'th?'

'Na.'

'Gyrhaeddes di adre'n olreit wedi'ny?'

'Do.'

'Pwy yw honna de? Dy wha'r ife?'

'Ia. Chwaer.'

'Reit. Gorffo' mynd. Wela i di 'to.'

'T'ra.'

Be, yn enw'r Stereophonics, sy'n mynd mlaen? Y fi, s'gen Lefel A mewn siarad lol, yn methu rhoi dwy sillaf at ei gilydd, heb sôn am frawddeg. Gerra grip, hogan wirion!

22.43

Newydd gyrraedd nôl o'r Travel Inn lle'r aethon ni am bryd 'i ddathlu' swydd newydd Taylor. 'Gewn ni ginio fel *teulu* am unwaith,' medda Pops mewn llais gor-joli. Sylwish i nad oedd 'na ddathliad tebyg pan gesh i'r swydd yn *Macsi,* ond ddudish i'r un gair. Gafodd Dad stêc anferthol. Cododd Mam ei haeliau tua'r nenfwd pan gwelodd hi o. Be, a ma' 'na rwbath yn bod efo *stêc* rŵan?! Ddewisish i odd'ar y fwydlen iach. Cyw iâr, salad a thaten trwy'i chroen (a hanner chips Hayls, ond dwi 'di gneud *llwyth* o ymarfer corff heddiw rhwng y dawnsio gwirion a'r cerdded rownd dre wedyn). Roedd hi'n noson olreit. Lwyddodd M + D i beidio cega, ond naethon nhw ddim siarad efo'i gilydd chwaith. Heglodd Taylor o'no cyn gynted ag y medra fo. Braidd yn annheg yn fy marn i, gan mai iddo fo *oedd* y pryd, ond a 'styried yr awyrgylch, ma'n anodd ei feio fo. Mynd faswn inna hefyd, taswn i'n gallu, a mynd â Hayley efo fi. Ma' hi'n cysgu'n sownd ar fy ngwely i rŵan, yn cyffwrdd fy nghoes i'n ysgafn efo'i llaw, fel tasa hi'n trio nghysuro fi.

Dydd Sadwrn, Awst 1af

20.15

Newydd gyrraedd yn ôl o dŷ Nain. Ym Mlaenau Ffestiniog. Nyff sed!! A deud y gwir, dwi'm yn meindio Blaena. Na Nain ran hynny, ond dwi'n falch nad ydan ni'n byw yno trwy'r amser.

Roedd Mein Fuhrer *on form*, chwara teg, er bod hi'n torri'i bol isio gadael y tŷ yn gynnar.

'Tydw i'm isio bod yn sdyc mewn traffig,' medda hi, gan dynnu brwsh yn ffyrnig trwy wallt Hayley.

'Ma' hi'n ddydd *Sadwrn*, Mam!' medda fi.

Roedd Taylor ar ei draed am yr *ail* fore'n olynol, os braidd yn simsan.

'Lle fues di neithiwr?' medda fi.

Dyma fo'n mwmial rwbath am yfed canie yn nhŷ Dave (ei ffrind drewllyd) a phrysuro i'r bathrwm. Glywish i sawl sŵn amheus yn ystod y chwarter awr nesa. Mae o'n cael 'diwrnod hyfforddi' heddiw, sy'n jôc. Tydi o'n methu torri rhech yn iawn, heb sôn am dorri chwys. *Actually*, erbyn meddwl, mae o *yn* gallu gneud y cynta!

O'r diwedd roeddan ni'n barod i gychwyn. 'Lle ma' Pops?' medda fi.

'Joban ne' rwbath,' medda Mam o gornel ei cheg. 'A wedyn mae o am helpu Kenny ar y "stondin" yn nes mlaen.'

'Ma'r stondin yna'n ocê, Mam. Wir rŵan,' medda fi.

'Hy!' oedd yr unig ateb.

Syrthiodd Hayls i gysgu ar y ffordd, ond fues i'n sbio drwy'r ffenest. Toedd gan Mam fawr o sgwrs ac roedd y radio'n mwydro yn y cefndir. Ma' rhannau o'r ffordd *mor* dlws ro'n i ddigon hapus, jest yn sbio a hel meddyliau. Bob tro o'n i'n dechrau meddwl am Jo o'n i'n esgus gwthio'r meddwl allan o 'mhen i, drwy'r glust dde fel bod o'n fflio allan o'r ffenest ar sbid (ac yn taro coeden, gobeithio). Strategaeth lwyddiannus iawn. Dwi am ei defnyddio'n amlach.

Cyn pen dim roeddan ni ar y pas. Ma'r un peth yn digwydd bob un tro. Cris croes rŵan. Bob tro 'dan ni'n codi i'r pas, ma'r tywydd yn troi. Haul braf trwy'r bydysawd *heblaw* am Flaenau Ffestiniog. Dwi'n gwbod fod o'n jôc gan bobl, ond mae o'n *wir*! Ma' Nain yn taeru fod 'na 'gymint o haul yn Stiniog ag yn unrhyw le arall,' ond dwi rioed 'di'i weld o. Wedi deud hynny, fydda i'n licio pasio'r tomenni yna o lechi piws ar y ffordd i lawr i'r pentre. Ma' 'na rwbath … wn i'm … mawreddog amdanyn nhw rwsut.

Nesh i ddeffro Hayls wrth i ni nesáu at y tŷ, a'r funud gofiodd hi ble'r oeddan ni dyma hi'n dechrau crio a chicio sêt Mam. Ddechreuodd y car neud hops fel cangarŵ.

'Ty'd rŵan, Hayley, 'dan ni'n dod i weld *Nain*!' medda Mam. Aeth y crio'n waeth.

'Ofn ei mwstásh hi ma' hi,' medda fi, fel eglurhad.

'Paid â rwdlan,' medda Mam wrth barcio'r car.

Toes 'na ddim ogla tebyg trwy'r byd i gyd i ogla tŷ Nain. Mae o'n gymysgedd o lafant, glo a nwy. Ma' Mam wedi hefru ddigon arni i newid y popty sy ganddi hi, ond ma' hi'n taeru na fydd ei chacen afal hi fyth yr un fath os geith hi un newydd. Bob tro 'dan ni'n mynd yno, fydda i'n rhoi mhen rownd y drws yn ofalus, jyst i neud yn siŵr nad ydi hi wedi llosgi'n golsyn mewn ffrwydrad nwy. Dwi'n cael y ddelwedd yma ohoni'n sefyll yn stond yn y gegin, yn ddu o'i chorun i'w sawdl, a'r badell ffrio yn dal yn ei llaw. Dwi'n gwthio'r llun yna allan trwy 'nghlust dde fi hefyd.

Roedd Nain yn y gegin. Fel ma' hi.

'Sadie, ti sy 'na?' Tydi hi ddim yn gweld yn sbesh.

'Ia Nain!' Mi blygish i roi sws iddi. Roedd ei boch hi'n ffyri. 'Hogan nobl,' medda hi, yn cydio'n dynn yn fy mraich. Roish i ochenaid fewnol. 'Ty'd i mewn reit handi. Ma' 'na ddrafft.' Tydi o ddim bwys pa amser o'r flwyddyn ydi hi, ma' Nain *wastad* yn oer. Tasa hi yn Jamaica mewn *heatwave* fasa hi'n cwyno fod 'na 'wynt yn'i hi,' a tydi'r lle tân byth, byth yn oer. Ma' Mam wedi trio'i pherswadio hi i gael gwres canolog hefyd, ond na, does 'na'm gobaith o hynny!

Yr un ydi'r drefn. Paned a bisged yn syth ar ôl cyrraedd. Cinio am chwarter i un. Sleisen o ham, wy 'di ffrio, chips cartra a menyn melyn tew ar y bara. Paned arall wedyn. *Peaches* tun a hufen iâ. A siarad, a holi, a dwrdio. (Fel arfer, erbyn y *peaches*, ma' Hayley wedi dod ati'i hun.)

'Y peth ydi, Nain ...' medda fi'n bryderus wrth ei gweld hi'n estyn am y tun bisgedi. Dorrodd Nain ar fy nhraws.

'Wel dyma hi! Y prinses fach ... Wel, paid â chrio, siwgwr mêl. Dim ond *Nain* sy 'ma!' Dyna pam dwi'n crio, meddyliodd Hayley.

'Gymri di *jammie dodger*? Y? Gan Nain?' Edrychodd Hayley am eiliad cyn iancio'r fisged i'w llaw a rhedeg am ei bywyd y tu cefn i Mam.

'Prifio'n ddigon o sioe, Glen,' medda hi. Roedd Nain, fel gweddill y byd, yn meddalu o flaen Hayls. Dyma hi'n sganio Mam yn ofalus. 'Rwyt ti'n llwyd drybeilig. Be sy'n bod?'

'Gwaith. Ofyrtaim. Gormod ohono fo.'

'Hmm.' Roedd hi'n amlwg y bydda 'na sgwrs nes ymlaen (h.y. pan oedd Hayls a fi'n cael ein gyrru allan ar strydoedd gwyllt a gwirion Stiniog).

'Nain. Peidiwch â chynnig bisged i mi, dwi ar ddeiet.'

'BE?'

Fasach chi'n taeru mod i newydd gyhoeddi mod i'n mynd i briodi Osama bin Laden, yn ôl ei hymateb.

'Neith hi ddim drwg i'r hogan golli mymryn ar y *puppy*

72

fat,' medda Mam. Diolch am hynna, Ma.

'Ond … dwi 'di prynu nhw'n sbeshal,' medda Nain yn dorcalonnus.

'Gymra i un 'ta.' Er mwyn heddwch rhyngwladol, roedd o'n gneud synnwyr i ildio.

'Da'r hogan,' medda hi, a llwytho mynydd o fisgedi ar fy mhlât.

Yn ystod cinio, dechreuodd yr holi. Hwyrach bod Nain fymryn yn fusgrell yn ei chorff, ond fel y dywed hi'i hun 'dwi fatha rasal fyny grisia'. Sut oedd yr ysgol, i ddechrau? Roedd Nain yn athrawes, erstalwm, a fuodd hi'n dysgu plant bach tan oedd hi o leia'n 400 oed. Mae o'n un o'r pethau ma' hi fwya balch yn ei gylch.

'*Pam* nad wyt ti'n licio Ffrangeg?' medda hi.

Achos mae'r athrawes yn *alien* o'r blaned Zog sy'n pigo arna i.

'Dw'mbo,' medda fi'n lle hynny.

Ac ymlaen ac ymlaen yr aeth hi, yn holi a stilio drwy'r ham a'r *peaches* a'r paneidiau, a hi, gyda barn ar bopeth ac egni hogan ifanc. Roedd y dair ohonan ni'n gwegian ar ôl yr holl fwyd, ac yn barod am napan, tra oedd Nain yn dal i sboncio fel deryn o'r gegin gefn i'r rŵm ffrynt.

'Reit 'ta,' medda hi ar ôl i ni olchi llestri. 'Allan â chi rŵan genod, i chi gael awyr iach.'

'Ond Nain, ma' hi'n *bwrw*!'

'Twt lol! 'Di hi byth yn bwrw yn Stiniog, siŵr!' Edrychish i drwy'r ffenest. Roedd 'na ddigon o law yn disgyn i ddechrau cwrs *white water rafting*, ond o'n i'n gwbod bod hyn hefyd yn rhan o'r drefn.

'Ty'd Hayls,' medda fi. 'Awn ni i chwara *"mochel dan yr ymbarél"*.'

Wrth i mi fynd drwy'r drws, dyma fi'n gweld Nain yn

rhoi ei llaw ar fraich Mam a deud 'Wyt ti'n mynd i ddeud wrth dy fam, 'ta be?'

Naethon ni chwarae am *oriau*. Pan dwi'n deud chwarae, dwi'n golygu Hayls wrth gwrs. Tydi hogan fy oed i ddim yn *chwarae allan*! Roedd Mam a Nain yn amlwg angen sgwrs go faith (i slamio Pops, debyg) felly mi adewish i hi mor hir â phosib cyn mynd nôl, ond yn y diwedd, roedd H yn gwrthod cerdded cam ymhellach, felly nôl â ni am y tŷ.

Roedd Hayls yn cysgu ar fy ysgwydd wrth i ni ddod i mewn drwy'r drws cefn. To'n i'm isio'i ddeffro hi, felly fues i mor dawel ag y gallwn i. O'n i'n clywed murmur lleisiau Mam a Nain. Esh i i mewn i'r stafell fyw. Roedd Nain yn waldio'r bwrdd efo'i dwrn. '*Fedri* di'm mynd 'mlaen fel hyn, Glen!' medda hi cyn stopio'n stond y funud gwelodd hi fi. Roedd Mam yn sniffio, a'i wyneb hi'n goch. Roedd hi'n amlwg wedi bod yn crio.

'Ma' Hayls yn cysgu,' medda fi. O'n i'n teimlo fel taswn i'n torri ar draws rwbath pwysig.

Dyma Nain yn codi o'i sêt efo naid. 'Wel! Be haru fi! Ma' hi'n amser te yn barod. Ty'd i helpu fi i dorri bara menyn, Sadie fach.' Roedd hi'n defnyddio'r llais hapus-hapus yna ma' oedolion yn ei ddefnyddio weithiau. Tydi o'n twyllo neb.

Tra oeddan ni'n disgwyl i'r tegell ferwi, ddudish i '*Mam* sy'n pigo ar Dad gan fwya, Nain. Wir rŵan.' Dyma Nain yn mwytho'n llaw i, cyn ei gwasgu hi yn ei llaw hi. 'Watsha di losgi wrth ymyl y tegell 'na,' medda hi.

Naethon ni ddim siarad llawer ar y ffordd adre. Roedd Mam wedi 'dod at ei choed' medda Nain. 'Wedi bod yn gweithio'n rhy galed ma' hi, yli, blodyn.' Toedd 'na ddim pwynt dadlau'n wahanol. Pam ma' pobl mewn oed yn pregethu am ddeud y gwir bob amser, pan maen nhw'n deud cymaint o gelwyddau wrthon ni?

Ar y ffordd nôl basion ni heibio i'r stad lle mae Nerys Kathryn yn byw. Nesh i sbio'n galed rhag ofn y gwelwn i gip ar rywun yn mynd i'r parti. Wn i ddim pam. Dim ond gneud i mi deimlo'n waeth fasa hynny. P'run bynnag, welish i neb. Ma'n siŵr bod pawb yn y tŷ, yn mwynhau eu hunain.

Dydd Sul, Awst 2il

15.51

Toes 'na ddim byd 'di digwydd heddiw. O gwbl. Ma' pawb allan. Ma' Mam yn gweithio shifft ychwanegol yn y 'sbyty, ac ma' Hayls wedi mynd i de parti un o'i ffrindiau ysgol feithrin (o leia ma' ganddi hi ffrindiau). Ma' Taylor yn cael mwy o 'hyfforddiant' yn y Ganolfan, ac wn i ddim lle ma' Dad. Ma'r tŷ yn hollol, hollol dawel. Fasa waeth i mi fod 'di marw ddim!

Hwyrach *mod* i wedi marw. Sut faswn i'n gwbod? Allwn i fod wedi cael trawiad tra oedd pawb arall yn mwynhau eu hunain yn rhywle arall. Falle mai ysbryd ydw i rŵan, wedi dod yn ôl i blagio pawb sy wedi mrifo fi tan dragwyddoldeb. Amen.

Dwi'm yn meddwl mod i isio marw eto. Dwi am ddawnsio a gweiddi i'r miwsig roc ucha s'gen i, 'mond i brofi mod i'n fyw.

16.12

Daeth Nicky Bag o Nerves draw. Sy'n rhyfeddod achos tydi hi byth yn mynd heibio i'r drws ffrynt fel arfer. Roedd hi'n dal ei gwynt ac yn cydio mewn *fish slice*.

'Lle ma' nhw?'

'Pwy?'

'Y lladron! Glywish i sŵn gweiddi yn dod o dy lofft di.'

'Na. Jest ... gneud ... aerobics o'n i ...'

'A gan bod pawb allan ...'

Ydi hi'n monitro pob eiliad o'n bywydau ni?

'Dwi'n iawn. Diolch.'

'Fedri di fyth fod yn *rhy* ofalus. Ma' gen i 2 tsaen, ffrynt a cefn, a system larwm llawn.' Sy'n ein deffro ni'n aml am dri y bore, ac wedyn ma' 'na hylibalŵ fawr efo Nicky yn cael *panic attack* a Dad yn trio troi'r fflipin peth i ffwrdd.

'Ma' Vince isio i mi fod yn saff. Wrth bod o i ffwrdd gymaint. W, mae o'n ei ôl mewn pythefnos. Fedra i'm disgwyl!'

Mawredd!

'O ... ia ... lyfli!'

'Dwi'm yn siŵr be fydd ganddo fo i ddeud am y ... twrw sy'n dod o tŷ chi y dyddiau yma,' medda hi wedyn, yn sbio ar y llawr.

'Ym ... diolch. Am ddod draw,' medda fi, a chau'r drws.

OMG. Nid yn unig ma' fy rhieni'n ffraeo fel plant ysgol feithrin pob cyfle gân' nhw, ond ma' nhw hefyd yn croesawu gwrandawyr yr ardal i ddarllediad cyhoeddus! Oes 'na *unrhyw beth* yn breifat yn y lle 'ma? Yr unig gysur ydi bod gan Nicky B.o.N. gymaint o ofn mynd allan o'r tŷ fydd 'na fawr o gyfle iddi hel clecs.

16.46

Dwi *mor* bored! Hwyrach bydd raid i mi glirio fy llofft.

16.55

Falle nad ydw i mor bored â hynny. W, mi glywaf leisiau! Ma' fy nheulu bach dedwydd yn dychwelyd . . .

19.20

Ma' 'na weddillion cacen pen-blwydd ar hyd fy ngwely. Roedd Hayls yn mynnu rhannu hwyl ei pharti efo fi gan mod i'n berson trist iawn heb ffrind yn y byd ayb. Nid 'i bod hi wedi deud hynny, wrth gwrs. Chwarae teg, o leia ma' hi'n driw.

Eniwê, ma' gen i newyddion DA o lawenydd MAWR! Tua ugain munud yn ôl, mi ganodd fy mobeil. Am eiliad ro'n i'n meddwl mai Jo oedd yno a nesh i ruthro at y ffôn, ond roedd y sgrin yn deud *FFLUR*. Mi atebish i'n syth.

'Sadie? Haia, Fflur sy 'ma.' Roedd hi'n swnio 'chydig yn nerfus. 'Haia!' Dwi'n siŵr mod i'n swnio'n od achos roedd Elfis yn llyfu briwsion cacen odd'ar y dwfe ac yn gneud sŵn slochian gwlyb.

'Iych! Gerroff Elfis!' medda fi.

'Pardwn?' medda Fflur.

'Sori. Y ci!'

Chwarddodd hi wedyn.

'Grynda, Sadie; fi'n gwbod bod hyn yn fyr rybudd, a ta beth, falle bo ti ddim moyn dod, ond …'

'Be?' medda fi. Roedd hi'n swnio'n ansicr.

'Wel, ma' Mam yn gweud gaf fi rywun i aros 'da fi. Yn y steddfod. Ni'n mynd i aros mewn carafán, gan bod y tŷ ar rent nawr. O'dd Mam yn meddwl bydde fe'n braf gofyn i rywun lan fan'yn. Ffrind newydd, fel. Allen ni gysgu yn yr adlen …'

Dwi'm yn siŵr be 'di adlen, ond dim ots. Ffrind Newydd. Fi!!

'Be ti'n feddwl, Sadie?'

'Ym … ia. Grêt!'

'Wir?' Roedd hi'n swnio'n hapus.

'Sa hynna'n bril. Diolch!' medda fi.

'Y'n ni'n cychwyn fory, 'na'r unig beth. Ond ma'r garafán yn ei safle'n barod, a bydd digon o le, gan bod ni'n mynd â'r car mawr.'

'Grêt!' medda fi. 'Dim problemo.'

'Ma' Mam yn gweud bydd raid i ti neud yn siŵr bod e'n iawn 'da dy fam.'

'Di o'm fatha bod Mein Fuhrer yn mynd i ngholli fi, blaw fel sgifi. 'Dwi'n siŵr bydd o'n olreit,' medda fi.

'O, a bydd Caron 'da ni. 'Y mrawd. Ond mae e'n ocê. Efo'i ffrindie fydd e, ta beth.'

Caron! Wrth gwrs. O Hapusaf Ddydd! Nesh i ddawns fach wirion o gwmpas fy stafell. Ipidwdaiei!!

'Sadie? Ti dal 'na?'

'Yndw. Sori. Gwranda, ofynna i i Mam a ffonio chdi'n ôl pronto. T'ra!'

Un funud, dwi'n Sadie-Dim-Ffrindia efo teulu *embarrassing* a bywyd anobeithiol, a'r funud nesa, dwi'n mynd i'r steddfod, yng *Nghaerdydd,* efo fy *ffrind newydd,* a *CARON*!!! Ma' gwyrthia *yn* digwydd*!*

Hold on. Ma'n rhaid i mi ofyn wrth Mein Fuhrer yn gynta …

19.26
Hip, hip ayb. A hip hip eto! Y ddynes o'r Trydydd Reich, hi ddywed … IEEEEEEEE!!!!

Dydd Llun, Awst 3ydd

23.22 (tua)

Dwi'n deud *'tua'* achos ma' Fflur a fi dan yr adlen; ma' hi'n dywyll, a dwi'n methu gweld fy *watch* yn iawn. Dwi'n siŵr fod y sgwennu 'ma fel traed brain! Tent mawr sy'n sownd i'r garafán ydi adlen – do'n i'm yn gwbod hynny tan heddiw – a fan hyn fydd cartre Fflur a fi am yr wythnos. Rydan ni i *fod* yn cysgu, ond er bod ni'n glyd yn ein sachau cysgu, 'dan ni wedi bod yn siarad am oriau. Ar hyn o bryd, ma' Fflur yn sgwennu dyddiadur hefyd. Brynodd hi lyfr newydd heddiw er mwyn cadw cwmni i mi, sy'n glên, tydi?

'Allen ni ddarllen dyddie'n gilydd,' medda Fflur yn eiddgar i gyd.

'Wel … ia, ella,' medda fi, yn ofalus. 'Er, ma' dyddiaduron yn betha preifat, tydyn?'

'Ond fydde dim cyfrinache rhyngon ni, na fydde? Ni'n dwy'n ffrindie yn 'dyn ni?'

Dwi'n meddwl fod Fflur wir isio i ni fod yn fêts gora. Ma' hyn yn ddealladwy, wrth gwrs, o ystyried 'i bod hi wedi symud i ardal newydd. Dwi'n lwcus bod hi wedi newis i.

Ma' hi'n teimlo fel wythnosau ers i ni adael y bore 'ma. Roedd hi'n hafoc fel arfer *Chez Nous*. Roedd *ma mère* wrthi'n cael ram-dam hefo Dad am gostau Heather *a* gorfod ffeindio pres gwario i mi. 'Pryd gest ti gontract *call* o waith ddwytha, Terry?' medda hi.

'Ma' Les Gerlan wedi deud y gneith o roi'r nòd i mi i'r joban ffatri 'na ym Methesda,' medda fo.

'Toes 'na'm bricsan o'r lle wedi'i adeiladu eto.'

'A ma'r stondin yn hit.'

'Ma' gynno ni *deulu,* Terry. Plant sy angen bwyd a dillad. Neith ymbaréls mo hynny.'

'Sortia i rwbath.'

'O, bla bla. Dyna dy ateb di i bob dim.'

'Paid â dechra *eto,* Glen.'

'Wyt ti *isio* gweld bil gas? Neith o'm talu'i hun 'sti …'

'Sortia i rwbath. Jyst gad fi …'

'*Na* wnaf. Achos toes 'na'm byd byth *yn* cael ei sortio. Dim efo chdi.'

Wrth gwrs, mae Fflur a'i mam yn landio yn y drws yng nghanol hyn i gyd. *Très embarrassing.* (Er, tydi Ff. heb ddeud gair am y peth wedyn, chwara teg iddi.) O'n i jest isio mynd, cyn i'r Munsters neud rwbath arall. Yipi! Wythnos heb yr iap-iapian plentynnaidd sy'n gefndir i mywyd dyddiol i ar hyn o bryd! (Ar nodyn mwy positif, gesh i bapur ugain ecstra gan Pops achos bod o'n teimlo'n euog am beidio cymryd gofal digonol o'i deulu bach!)

Roedd treialon eraill yn disgwyl yn y car. Caron. Wrth i mi wylio'r Munsters yn sefyll ar ymyl y lôn i ffarwelio, ro'n i'n hynod ymwybodol pwy oedd yn eistedd drws nesa i mi yn y car (un swanc iawn, gyda llaw).

'Dyma Sadie,' medda Fflur.

'Helô Sadie,' medda fo, gan godi un o'i aelia ac estyn ei law yn ffurfiol. Sgydwish i ei law o a chochi.

'Ti'n gwbod,' medda fo, 'ti'n edrych yn gyfarwydd. Odw i wedi dy weld ti o'r blaen?'

'Ym … dwi …'

'Na. Dychmygu wnes i, siŵr o fod.' A dyma fo'n gwenu, a rhoi winc fach breifat i mi.

OMG!!! Dwi'n meddwl bod o'n fflyrtio efo fi! Amhosib. A fynta'n Dduw Rhyw. Ond pam arall na fasa fo wedi cyfadda am Coed Llan? Ac wrth gwrs, rŵan tydw *i*'*n* methu cyfadde chwaith nac'dw? Sy ddim yn neis gan bod Fflur mor glên, ond be fedra i neud am y peth?

Basiodd y daith yn gyflym. Chwaraeodd Caron, Fflur a fi gêm cyfri ceir. Ti'n dewis lliw ac yn trio gweld faint o geir

y lliw hynny sy'n pasio. Coch o'n i, a fi enillodd!! Ddudodd
Caron bo fi'n twyllo achos bo fi'n cynnwys *maroon* fel coch
hefyd – ond y fi fasa wedi ennill p'run bynnag.
Ddechreuodd tad Fflur ganu wedyn. Nesh i neidio yn fy sêt
achos nath o jest dechra bloeddio – *o nunlla.* Dwi'm yn cael
'i alw fo'n Mr Williams, Derec ydi o a Teleri ydi Mrs
Williams. Ma'n teimlo fymryn yn od, ond roeddan nhw'n
mynnu.

'Ysdi be,' medda Derec, yn sbio arna i yn ei ddrych,
'dwi'n falch *drybeilig* o gael Gog arall yn gwmni yn y car
'ma.'

O Ddeiniolen ma' Derec yn dod yn wreiddiol – 'Ond mi
gesh i nenu lawr i'r ddinas fawr *ddrwwwg* i weithio efo'r
hen betha telifisiyn 'ma. Ond *rŵan* dwi'n dod *nôl* i'r Fro …'

'O *shyrryp* Dad!' medda Ff. a Caron, fel tasan nhw wedi
clywed y peth filoedd o weithia o'r blaen.

Gaethon ni ginio mewn tafarn, ac roedd Derec yn mynnu
talu drosta i. Roedd Teleri yn holi am Mam a Dad a be
oeddan nhw'n neud. Ar ôl perfformiad bore 'ma, roedd hi
isio gneud yn siŵr nad lŵns llwyr ydyn nhw. (Sori Teleri,
ond … ym … ie!) Ond pan o'n i'n deud bod Mam yn nyrs
auxilliary a Dad yn drydanwr, ro'n i'n teimlo'n
embarrassed braidd. Fatha bod o ddim digon da rwsut. Nid
fod Teleri'n troi'i thrwyn chwaith. Od, dwi rioed 'di teimlo
felly o'r blaen.

Ma' teulu Fflur yn *lyfli*. Wir yn gyfeillgar ac yn gneud i ti
deimlo'n gartrefol braf. Ma' nhw 'chydig bach fel teulu Jo
yn y ffor ma' nhw'n jocio trwy'r amser a toes 'na ddim
teimlad ych a fi fel sy 'na yn tŷ ni. Ond ma' nhw'n wahanol
hefyd. Mwy … Cymraeg, am wn i. Er enghraifft, pan
oeddan ni'n gwrando ar Radio Cymru roeddan nhw i gyd yn
nabod y caneuon.

Roedd hi'n ganol pnawn arnon ni'n cyrraedd. Yrrodd

Derec drwy ganol y ddinas jest i mi, gan nad oeddwn i 'di bod yng Nghaerdydd o'r blaen. Toeddan nhw'm yn credu pan ddudish i hynny.

'Ma' *raid* dy fod ti,' medda Caron.

'Naddo wir,' (fy ngwyneb = injan dân).

Roedd y ddinas yn edrych yn grand ofnadwy efo'r adeiladau gwyn yn sgleinio yn yr haul. Ges i gip ar y brif stryd hefyd: gobeithio gawn ni gyfle i fynd i siopa yn ystod yr wythnos! Naethon ni bicio i dŷ Fflur wedyn achos roedd Derec a Teleri heb gyfarfod y tenantiaid newydd.

'Daeth cynnig gwaith Dad mor glou, roedd rhaid i ni fynd ar unweth,' medda Fflur. Mae o'n gynhyrchydd teledu sy'n gneud rhaglenni Cymraeg a ballu, a mae o wedi cael promoshyn. Neu dyna ma' Fflur yn *ddeud*. Dwi'n dal i amau fod 'na reswm mwy dirgel na hynny, ac mi fyddaf yn parhau gyda'r ymholiadau! Gwyliwch y gofod hwn … .

Ma' tŷ Fflur yn *anhygoel!* Hen dŷ yn y wlad ydi o, efo digonedd o le, cegin fatha cegin ffarm (ond efo llwyth o gajets arian modern) 5 llofft a 3 bathrwm!

'Wel, oedd 'na ddim ciws llnau dannedd yn tŷ *chi,'* medda fi. Nath Fflur godi'i sgwyddau ac edrych braidd yn drist.

'Siŵr o fod fyddwch chi'n prynu plasty yn y Gog!'' medda fi wedyn, yn trio codi'i chalon.

'Smo' ni mor gyfoethog â *hynny,'* medda hi'n siarp. 'Fi jyst fel ti, gweud y gwir!'

Ie, rreit! Ond nesh i ymddiheuro 'run fath.

Aethon ni yn ein blaenau i'r maes carafannau wedyn, ac ar ôl dadbacio gawson ni farbeciw ffab. Ma' fy neiet i'n mynd i ddiodde yr wythnos yma. Heno, aeth Derec a Teleri i weld ffrindia iddyn nhw.

'Fydden nhw ddim nôl am orie,' medda Fflur, wrth i ni wylio nhw'n cerdded i ffwrdd.

Roedd Caron wedi mynd i chwilio am ei ffrindia hefyd. (Tydi o ddim wedi fflyrtio hefo fi o gwbl ers y car – wedyn falle mod wedi dychmygu pethau wedi'r cyfan!) Ers hynny ma' Fflur a fi jest wedi siarad am oriau am bopeth dan haul (heblaw am Jo a'r Duw Rhyw wrth gwrs!) Dwi wedi dod i'r casgliad bod Fflur *wir* yn hogan neis. Yr unig beth ydi bod hi fatha bod hi'n drist am rwbath. Wn i'm be.

Dwi am orffen rŵan, gan fod Fflur yn edrych yn od arna i achos mod i'n sgwennu gymaint! *'Yfory, newyddion o faes yr Eisteddfod efo'n gohebydd arbennig, Sadie Wyn Jones. Ond am y tro, nôl â ni i'r stiwdio …'*

Dydd Mawrth, Awst 4ydd

18.02
Newydd ddod nôl o faes y steddfod. Mae Ff. wedi mynd i gael cawod a Derec a Teleri yn sipian gwin coch yn yr haul. Dwi'n cael munud fach felly i sôn am heddiw . . .

Yr unig dro fues i yn steddfod o'r blaen oedd llynedd, pan oedd hi jyst lawr y lôn. Tydi Mam a Dad ddim yn 'bobl steddfod', a toeddwn i ddim yn sylweddoli fod 'na gymaint o bobl yn mynd bob blwyddyn tan heddiw, pobl fatha Fflur a'i theulu er enghraifft. O hyn allan, dwi wedi penderfynu mod i am ddod *bob* blwyddyn, jest fel nhw.

O'r eiliad y cyrhaeddon ni'r cae, roedd o'n brofiad hollol wahanol. Aethon ni am baned i un o'r caffis mawr yna, ac eistedd allan yn yr haul. Ma' hi wedi bod yn boeth ac yn braf drwy'r dydd. (Nesh i wisgo eli haul yn hogan dda ond dwi wedi cael 'lliw' yr un fath. Mae o fel 'join the dots' ar fy ngwyneb i efo'r holl frychni, ond ma' *unrhyw beth* yn well na'r gwyneb ysbryd arferol!) Eniwê, wrth i ni gael te, daeth 'na *lwyth* o bobl draw i gael sgwrs. Ma' Derec a Teleri yn nabod pawb yng Nghymru! Ond be oedd yn fwy cŵl oedd mai pobol enwog oedd rhai ohonyn nhw, actorion a phobol sy'n cyflwyno ar y teli. To'n i'n methu deud gair o mhen am oes, a wedyn ddudodd Derec, 'Ma' *Sadie* yn dod o Lanfor' wrth y boi ifanc yma mewn trwsus gwyn a sbectol haul anferth.

'Wel ffan-*tastig*!' medda Mr Sbectol. 'Ti yw *jest* y ferch.'

Erbyn deall, ma' nhw'n gneud rhaglen ddrama newydd i bobl ifanc a ma' nhw'n mynd i ffilmio yn *Llanfor*! Ma' nhw'n chwilio am actorion ifanc, medda fo. 'Nes i feddwl yn syth y basa rhaid i mi ddeud wrth Jo cyn i mi gofio bod ni ddim yn siarad dim mwy. Ma'r stori am bobol ifanc fatha ni, ac wedi'i gosod mewn clwb ieuenctid.

'Wyt ti'n mynd i Glwb Ieuenctid, Sadie?' medda fo, ac roedd o'n sbio reit yn fy llygaid i.

'Mae o wedi cau ers llynedd.'

'O? Pam?'

'Ym … nath Kevin Seico drio rhoi'r bwrdd snwcer ar dân ar ôl i Glyn Geek ei guro fo mewn gêm.'

'Rrreit. Diddorol!'

O'n i'n *embarrassed* braidd am hyn. 'Ond tydi pawb yn Llanfor ddim fel'na.'

'Wel. Nac'dach siŵr! Be fyddi di'n neud gyda'r nosau ta?'

'Jyst mynd draw i dŷ J … ym … dim byd llawer. Jyst fatha … chwara. Efo ffrindia.'

Pathetig! Ond to'n i'n methu egluro wrth Mr Sbectol am Jo, nag'on? Diolch byth, nath Derec roi ei big i mewn.

'Halen y ddaear 'di hon,' medda fo. 'Ma' Fflur ni wedi ffindio ffrind *go-iawn.'* Aeth Fflur yn goch wedyn a welish i Teleri yn sbio'n galed arno fo. Ddudodd o ddim byd ar ôl hynny. Odiach ac odiach …

Ta waeth, ma' Mr Sbectol yn mynd i *'gofio amdana i'* medda fo. Dwi'm cweit yn dallt be ma' hynny'n feddwl, chwaith. Gobeithio fod o ddim isio i mi actio, achos faswn i'n *hopeless* ac mi fasa Dad, Mam, Y.K., Taylor – ac yn bendant y nythaid o wrachod – yn gneud hwyl am fy mhen i am weddill fy oes, a hyd dragwyddoldeb. (Nid mod i'n credu mewn tragwyddoldeb wrth gwrs.)

Naethon ni jest cerdded o gwmpas y maes wedyn am oriau. Roedd 'na lwyth o stondinau bach yn gwerthu petha ciwt. Brynish i grys-t pinc i Hayls ac un efo CYMRAES arno fo i mi. Ac mi brynish i *keyring* bach i Fflur hefyd, i ddeud diolch am gael dod ar wylia. Bu bron iddi ddechra crio.

'Alla i newid o am un arall,' medda fi.

'Na. Ma' fe'n *lyfli*!' medda hi, yn sbio'n sofft arno fo.

Dwi'n licio Fflur yndê, ond weithia ma' hi chydig bach yn *wiyrd*. Ma' hi fel 'sa hi'n … licio fi ormod … O, ffor fflip-fflop's sêc, be os 'di hi'n licio fi … *yn y ffor' yna*? Ella mai dyna pam ddaru nhw symud o Gaerdydd? Na, ma' hi'n bendant yn licio hogia, achos pan aethon ni am dro ar ben ein hunain (h.y. heb yr Hen's) roeddan ni'n chwilio am HDs (Hogia Del) a welodd hi lwyth oedd hi'n licio. Er, dim cymaint â fi, chwaith. Nid y baswn i'n anffyddlon i'r Duw Rhyw, wrth reswm, ond ma' gen rywun hawl i sbio, toes? Aethon ni i'r Babell Roc, ac oni bai am ambell hen foi trist efo gwallt hir a phump bol, roedd 'na HDs ymhobman. Falle fod 'na ffatri lawr yma sy'n eu gneud nhw. Naethon ni hyd yn oed *siarad* efo dau ohonyn nhw. Wel, trio siarad. Roeddan nhw'n dod o Landysul neu rywle, ac roedd rhaid i Fflur gyfieithu. Mae o'n deud yn *Cosmo* Mam na fedri di dreulio am byth yn disgwyl am 'Mr Iawn'. Weithia ma'n rhaid i ti fynd am 'Mr Iawn Am Rŵan'. Ac os mai Caron ydi fy 'Mr Iawn' i, pam bod o heb siarad efo fi (blaw 'sut wyt ti' a 'bore da', sy ddim yn cyfri) ers y daith yn y car? Mae amser yn tic-tocian yn ei flaen. Ac ma'r gwrachod ar eu ffordd lawr yma fory ar gyfer y rhagbrawf dawnsio gwirion. Ac ma' 'na wir beryg y gneith Caron: 1: weld a 2: syrthio mewn cariad efo fy ecs-ffrind gorau sy wedi ymwracheiddio mewn ychydig ddyddiau. Ma' hyn felly *yn A.R.G.Y.F.W.N.G*. Ond be'fedra i neud? W, ma' Fflur ar y ffor' nôl o'r gawod, felly dwi am beidio mwydro. Am rŵan.

00.42

Reit. Lot wedi digwydd yn ystod yr oriau diwethaf. Yn gyntaf, nath Caron siarad efo fi pan o'n i ar y ffor' nôl o'r gawod! Yn anffodus, ro'n i'n edrych fel drychiolaeth – gwallt gwlyb, dim colur ayb.

Glywish i lais yn galw 'Hei! Sadie!' a pan droish i mhen, dyna lle oedd o efo'i ffrindiau cŵl Caerdydd-aidd. Mi nesh i sgan cyflym (yn enw ymchwil) am HDs, a rhaid deud fod pob un yn 7.5 allan o 10 o leiaf. Nath o ddim fy nghyflwyno fi i weddill yr HDs, dim ond deud rwbath yn sydyn wrthyn nhw a dod draw.

'Ti'n mynd nôl i'r garafán, te?'

Nesh i nodio – fel lŵn o blaned y lŵns. Pam, yn enw Dai Jones, ma' fy ngallu i ymddwyn yn gall ac yn aeddfed yn diflannu bob tro ma' Caron o fewn canllath i mi?

'Gerdda i 'da ti te, ie?'

'Ia … iawn.'

Ofynnodd o sut o'n i'n mwynhau a ballu, a nesh i fwmial rwbath am fod ei deulu o'n glên, a wedyn ddudodd o, 'Ma' fe wir yn neis bod Fflur wedi ffindo ffrind fel ti. 'Na beth ma' hi angen.'

O'n i isio gofyn pam, ond ges i fy hai-jacio gan ei llgada brown o. O, roeddan nhw mor … mor … 'Iym!' medda fi. Do, nesh i *actually* ddeud o!

'Sori?' medda D.Rh., yn edrych braidd yn ddryslyd.

'Ym … iym … di-dym … di-dym. Canu oeddwn i.' O Fod Mawr, plis gwna dwll mawr yn y ddaear i mi gael syrthio i mewn iddo fo … Ond toedd Bod Mawr ddim yn gwrando. Roedd Caron yn meddwl bod hyn yn ddigri.

'So ti'n gall, yt ti?' medda fo.

Ysgwyd pen ffyrnig yn ôl gen i.

'Grynda … ym, o'n i jest moyn gweud … ym …' Rŵan roedd *o'n* edrych yn anghyfforddus. 'Wel, gweud bo' fi'n falch fod 'da Fflur ffrind mor dda.' Roedd o'n edrych fel tasa fo isio deud rwbath arall, ond nath o ddim yn y diwedd. Ddechreuodd o sôn am y gìg roedd o a'i fêts yn mynd iddo fo'r noson honno (*Y Moch Daear-gryn* sydd yn enw cŵl a chlyfar yn ôl Caron) a chyn i ni droi, roeddan ni'n ôl wrth y garafán.

'Reit wel, wela i di wedyn te,' medda fo, a diflannu i'r garafán i newid. Roedd Fflur yn disgwyl amdana i y tu allan i'r adlen, yn gwisgo sgert fini a thop dangos-ei-bol.

'Dwi'n mynd i newid,' medda fi, achos ro'n i isio amser i feddwl.

Re-cap sydyn. Dwi'n cwarfod y D.Rh. yn y goedwig lle dwi'n gneud drong o'n hun ond mae o'n siarad efo fi p'run bynnag. Yna dwi'n dod i ddallt 'i fod o'n frawd i fy ffrind newydd. *Yna* mae o'n gwrthod cyfadde o flaen ei deulu bod ni 'di cyfarfod o'r blaen *a* gwenu/wincio/siarad-yn-glên-ella-fflyrtio efo fi cyn anwybyddu fi am ddiwrnod. *Wedyn* mae o'n dod ata i i siarad yn sbesial, deud fod o'n falch mod i'n ffrind i Fflur, edrych yn *embarrassed*, ac yna diflannu i'r garafán. Be yn enw Tom Jones sy'n mynd ymlaen???!!!!

Ma' 'na rai petha'n glir. Yn un peth, ma' Caron yn iymi. Di-gwestiwn. Yn ail, mae o'n frawd da. Pan dwi'n ei gymharu fo efo Taylor … wel, toes 'na ddim cymhariaeth oherwydd tydi Taylor ddim yn perthyn i'r Ddynol Ryw, yn amlwg. Yn drydydd, mae o *ddwy flynedd* yn hŷn na fi. Ac yn sydyn ma'r bylb golau yn pingio yn fy mhen. Mae o wedi sylweddoli mod i'n ffansïo fo, ac mae o'n *embarrassed*, ond oherwydd 'i fod o'n glên, tydi o ddim am neud sioe am y peth. Dyna oedd o'n drio'i ddeud ma'n rhaid. Er mai dim ond y fi oedd dan yr adlen, deimlish i fy hun yn mynd yn fflamgochach na choch. *Wrth gwrs!* Sut allen i feddwl y bydda boi gorj o Flwyddyn 11 â diddordeb yndda i? Drong, drongiach, drongiaf!!

Nesh i newid yn gyflym a mynd allan at Fflur, yn benderfynol o gadw pellter rhyngof fi a Caron o hyn ymlaen. Ond pwy ddaeth allan wedyn (yn edrych yn sgrymi mewn crys-t du a jîns du) ond Caron. Nath o hofran am

chydig yn yfed can o *Coke*, a wedyn ddudodd o 'Ma' croeso
i chi ddod 'da ni i'r gìg heno, os chi moyn. Fydd Mam a Dad
yn *sozzled* draw fan'na ta beth.' Nodiodd ei ben i gyfeiriad
y chwerthin a'r clencian gwydrau. Ro'n i'n mynd i ddeud
'na, 'dan ni'n iawn diolch' ond neidiodd Fflur ar ei thraed a
deud y basa hynny'n grêt. Aeth D.Rh. i ofyn i'w rieni a
gaddo y basa fo'n cadw llygad, tra bod Ff. a fi'n sblasio
colur 'mlaen yn ffrantig. Roedd rhaid i mi ofyn:

'Ti'm yn meddwl … bod o bach yn od fod dy frawd …
fatha *isio* i ti fod yn yr un *stafell* â fo?' Edrychodd hi arna i
fel taswn i'n lŵn. 'Y'n ni'n ffrindie,' medda hi.

'Ie, ond mae o *ddwy flynedd* yn hŷn na chdi.'

Cododd Fflur ei sgwydda. '*So?*' medda hi, gan orffen
rhoi *gloss* ar ei gwefusau, ac yna 'Dere. Neu gollwn ni'r
bws.'

Dwi'm yn siŵr am *Y Moch Daear-gryn*. Roeddan nhw
'chydig rhy … pynclyd i mi, a toedd y 'canwr' methu canu
nodyn. Ac oedd o'n gwisgo'r trowsus pinc a du … na, teits
oeddan nhw *actually* … mwya *ffiaidd* dwi rioed wedi'i
weld. Ac ma' nghlustia i'n dal i hymian fel oeddan nhw ar
yr awyren i Alicante pan o'n i'n un ar ddeg (a'r unig dro i
mi fod dramor yn fy mywyd trist). Roedd Fflur yn licio nhw
fwy, ond dwi'n meddwl ei bod hi wedi'u gweld nhw'n
rywle o'r blaen. Ac roedd yr hogia yn y blaen yn dawnsio'n
wyllt ac yn taflu'u penna ymlaen fatha bod nhw'n trio'u
rhyddhau nhw o'u cyrff. Nesh i gadw draw ar bwrpas, ond
ddaeth Caron draw ambell waith, jest i weld bod ni'n dwy
yn iawn. Fel Brawd Mawr Da, faswn i'n ddeud. Roedd o'n
fwy chwyslyd a phoeth bob tro. Sy ddim yn syndod gan fod
y 'gìg' yn *enfawr*. Roedd o mewn pabell hiwj a'i llond hi o
bobl ifanc. Dwi'n sicr yn mynd i ddod i gigs o hyn ymlaen
hefyd.

Ta waeth, dyna a fu. Ac rydw i wedi penderfynu, er mor

galed, fod rhaid i mi ddod dros fy nghariad pur at y D. Rh. achos ma'n amlwg mai bod yn glên mae o oherwydd … mai boi clên ydi o, a tydio ddim yn ffansïo fi … D.S. Mi alla i fyw efo hyn dwi'n meddwl, ond os ceith Jo afael ynddo fo, ma' gwir beryg y gwna i ffrwydro, yn union fel y tun bîns roth Hayls yn y meicro dair wythnos yn ôl.

Ma'r gystadleuaeth Dawnsio Gwirion fory. Ipidipidei!!!

Dydd Mercher, Awst 5ed

06.50

Nath fy mobeil i ddechrau bipian jest rŵan. Ma' pawb yn dal
i gysgu; diolch byth, roedd o wrth fy ochor i. Dyma oedd y
neges: Dan ni ar y ffor' wedyn watsia dy
hun!! Mobeil Jo! ... *I mean*, pwy ma' hi'n feddwl ydi hi?
Clint Eastwood? Dwi ddim wedi meddwl llawer amdani ers
dydd Llun, deud y gwir. Ond rŵan, dwi'n teimlo chydig bach
yn sâl. Nid jest oherwydd mod i'n mynd i gael y nyth
gwrachod yn deud pethau annifyr drwy'r dydd, ond oherwydd
bydd Jo yn un ohonyn nhw. Dwi'n dychmygu nhw rŵan yn
chwerthin ar fy mhen i ar y bws ar y ffordd i lawr yma. Fydd
Nerys Kathryn wrth ei bodd. Tydi hi rioed 'di licio fi ers i mi
ollwng ei *quiche* hi ar lawr yn y ffair haf (a nesh i'm trio ...
wel dim llawer eniwê). A ma' Catrin Thomas wedi bod isio Jo
fel ffrind ers tua pedair blynedd. Ond ffrind *fi* ydi Jo. Oedd.
Ffrind fi *oedd* Jo. Fflip, mae o fatha bod hi wedi marw ...

10.31

'Dan ni jest yn cychwyn am y rhagbrawf. Ma' Teleri'n
mynd â ni yn y car, chwara teg. Dwi newydd feddwl – be os
ddudan nhw rwbath am Caron wrth Fflur? Be yn enw
Florence Nightingale dwi'n mynd i neud wedyn?

13.25

Gawson ni lwyfan efo'r dawnsio gwirion. Ma'n rhaid bod
Siani wedi bygwth y beirniad ... efo rwbath. 'Dan ni ar y
llwyfan mewn hanner awr p'run bynnag.

Bore 'ma, gyrhaeddon ni i'r neuadd yn gynnar. Roedd 'na
grwpiau eraill dan 16 yno'n barod yn ymarfer a stretsio a
phopeth. Fase ti'n taeru bod un ohonyn nhw'n mynd i redeg
100 metr yn yr Olympics, y ffor' oeddan nhw'n paratoi.

'Ydyn nhw *o ddifri*?' medda fi'n chwerthin, wrth Fflur.

'Fy hen ysgol i ydyn nhw,' medda Ff.

'Wps. Sori. Ti am fynd draw i ddeud helô?' Falle taswn i'n gallu siarad efo ffrindia Ff. drwy'r dydd fasa'r gwrachod yn fflio i ffwr' ar eu brwshys ac yn gadael i mi fod.

'Na,' medda Ff. mewn llais mor dawel ac od, nesh i droi i sbio arni. Roedd ei hwyneb hi'n *wyn*. 'Nag o'n i'n gwbod bod nhw'n cystadlu!' medda hi'n despret.

''Di'r ots, siŵr,' medda fi. 'Nawn ni ddim dy feio di os enillan nhw. Jest nei di ddifaru mai efo tim cac ysgol ni wyt ti rŵan, yn lle efo enillwyr Strictly Dawnsio Gwerin 2005.'

'Naci! Nage dyna beth yw e, *reit*?' Roedd hi'n hanner sibrwd wrtha i, ond yn sgyrnygu 'run pryd; roedd ei llygaid hi'n wyllt ac roedd 'na ymyl bach o chwys uwch ei gwefus. Dyma hi'n troi i fynd allan, ond yr eiliad yna, daeth Teleri i mewn a rhoi ei braich amdani a mynd â hi allan i'r coridor. Nesh i aros yn fy unfan. A bod yn onest, roedd gen i 'chydig bach o ofn. Nesh i 'styried falle bod Fflur wedi gneud rwbath ofnadwy i un o'r disgyblion yn ei hen ysgol (stabio efo cyllell fara yn y ffreutur oedd fy newis cyntaf) ond wedyn mi fasa hi'n y carchar yn basa? Neu yn un o'r carchardai sbesial yna i Lŵns Treisgar Ifanc. Dim yn ein hysgol ni. Er, wedi meddwl, ma' 'na domen o Lŵns Treisgar Ifanc yn ein hysgol ni hefyd.

Edrychish i draw at griw Fflur wedyn. Roeddan nhw'n edrych yn ddigon normal. A deud y gwir, roeddan nhw i gyd yn dal ac yn dlws (wel, y merched), ond a oedd hyn yn arwyddocaol?

Cyn i mi gael cyfle i ddatrys y cês, cyrhaeddodd Clint ... sori, Jo ... a gweddill y cowbois. O'n i'n teimlo'r drws yn fflapio nôl a blaen fel drws salŵn yn y Gorllewin Gwyllt wrth iddyn nhw ymddangos. Roedd llygaid y Gwrachod/Cowbois yn sganio'r stafell fatha gwylanod yn chwilio am fwyd. Sgafs, mewn geiriau eraill. A dyma nhw'n setlo arna i. Ond be oedd yn od oedd – toedd gen i ddim ofn. Dim mymryn. A nesh i ddim sbio ffwr', jyst edrych yn ôl yn dawel a cŵl. Ar ôl tua tair blynedd o'r syllu yma, ddaeth Siani Flewog i mewn a baglu dros ei chrïau nes bod y clocsiau hyd y llawr ym mhobman. Ac wrth i mi helpu i'w casglu nhw, welish i un o ferched hen ysgol Fflur yn gwenu draw aton ni, fel tasa hi'n meddwl 'Am wastraff pathetig o aer'. Gwên o sbeit *pur*! Yn sydyn, nesh i ddallt be oedd wedi digwydd i Fflur.

'Lle ma' Fflur Haf?' medda Siani, yn trio adfer hynny o urddas oedd ganddi hi (h.y. dim llawer). ''Dan ni angen tiwnio.'

'Dwi'n meddwl … bod hi tu allan,' medda Gafyn yn annifyr. Roedd o'n amlwg wedi'i gweld hi'n ypsetio.

'A' i allan,' medda Siani. Am unwaith toedd ei chroen hi ddim yn rhy dew i sylweddoli bod problem. Closiodd y Nyth. '*Hubble, bubble, toil and trouble*,' medda fi'n ddistaw. ('Dan ni newydd neud *Macbeth* yn Saesneg.)

'Tybed pam fod Fflur *druan* wedi ypsetio?' medda Nerys Kathryn. Roedd hi'n trio edrych yn galed ond *actually* roedd hi'n edrych fel tasa hi'n sbio'n groes!

'Falle bod hi'n sylweddoli peth mor *boncyrs* oedd gwahodd *seidbord* ar wylia efo hi,' medda Catrin Thomas, gan snigro ar Jo. Toedd Jo ddim yn snigro. Roedd hi'n sbio'n syth arna i.

'Wyt ti'n joio dy wyliau?' medda hi'n dawel.

'Yndw. Mae o'n *grêt*!' medda fi'n ôl. Isio cau ceg y gwrachod eraill o'n i, nid gwylltio J, ond welish i ei gwyneb hi'n newid … ac yn caledu.

'Wel, 'dach chi'n haeddu'ch gilydd 'ta,' medda hi, a cherdded i ffwrdd, gyda'r gwrachod yn ei dilyn hi.

Bu bron iddyn nhw fynd slap i mewn i Siani wrth iddi hi

ddod yn ôl â golwg ddifrifol ar ei wyneb, a Teleri a Fflur tu ôl iddi. Roedd hi'n amlwg fod Fflur wedi cael sesiwn o nadu (llygaid coch, trwyn fatha clown ayb.) ond roedd hi'n edrych yn benderfynol. Bowndiodd Nerys ati a deud yn ei llais 'dwi'n-dallt-y-petha-'ma,' 'Ti'n *ocê*, blodyn?' Bu bron i mi daflu fyny. Ond ddaeth Fflur yn sdrêt ata i a deud yn ddistaw bach, 'Sori am hynna ... eglura i 'to.'

Ddudish i run gair, dim ond gwasgu'i braich hi a sbio draw at y merched anferth yn y gornel, oedd yn edrych nôl aton ni. Roedd yr holl beth yn eitha sbŵclyd, deud y gwir, ac yn gneud i'r Gwrachod edrych fel plant mewn parti Noson Calan Gaeaf.

Gaethon ni fynd yn gynta (roedd Siani wedi cael gair dwi'n meddwl) ac aeth pethau'n ocê. Oedd, roedd traed Glyn Geek fymryn yn arafach na phawb arall, ond mae o wedi gwella *llwyth*. Roedd Jo wedi treulio'r siwrne yn mynd drwy'r camau efo fo, medda Gafyn, nes iddo fo fynd yn sâl-car ('ta bws?) efo'r holl ymdrech. Chwara teg iddi, am wn i. Roedd yna hefyd un eiliad pan nath ffidil Fflur sŵn fel cath yn cael ei thagu, ond a styried y Cawresau yn y gornel, nath hi'n rhyfeddol. Ar y diwedd, roedd pawb jyst isio gadael y stafell cyn gynted â phosib. Roedd Siani F yn trio gneud y peth joli-joli: 'Dowch rŵan am y maes, i ni gael llenwi'n boliau,' ond roedd pawb arall yn dawel. Roedd Teleri'n sbio ar Fflur, hi'n cymryd cip ar y Cawresau, y fi ar Jo ... ayb ayb. Roedd o jest yn llanast llwyr.

Daeth Gaf efo ni yn y car. Dwi'n meddwl fod o isio rhoi adroddiad am y Gwrachod ond, ar ôl bore 'ma, toedd o ddim yn teimlo mor bwysig. Roedd Fflur yn dal i grynu pan gyrhaeddon ni i'r car, a ddudodd hi fawr ddim yr holl ffor' i'r maes. Sylwish i fod Teleri'n sbio'n bryderus arni yn y drych drwy'r amser, felly dyma fi'n cydio yn ei llaw hi'n dynn, a ro'th hi wên fach wedyn.

95

'Nawn ni edrych ar ei hôl hi,' medda fi wrth Teleri, pan gyrhaeddon ni'r maes, ac er ei bod hi'n nodio, roedd hi'n dal i edrych yn bryderus. Aethon ni'n tri i brynu sudd oren oer a donyts a setlo tu ôl i babell boring yn gwerthu siwrans ceir (gan feddwl na fasa'r un gawres o Gaerdydd yn ffeindio ni'n fan'no).

'Sa i'n gwybod shwt ddechreuodd e, rili,' medda hi. 'Ro'n i'n ffrindie 'da nhw yn yr ysgol gynradd *a* dechre Blwyddyn Saith, a wedyn un bore, ar y ffor' i'r ysgol, o'n nhw jest gwrthod siarad 'da fi rhagor. Dim rheswm, dim.'

'Gaethoch chi ffrae?' ofynnish i.

'Naddo. O'dd e fel tasen nhw jest … moyn … wel … casáu *rhywun*, a digwydd bod, fi o'dd hi.'

'Hy! Genod!' oedd cyfraniad Gafyn.

'Oi!' medda fi, 'tydi pawb ddim yr un fath.' Dyma Gaf yn codi'i aeliau gystal â deud *Ie. Reit!* Aeth Fflur yn ei blaen.

'Pob tro o'n i'n agor 'y ngheg mewn gwers fydde nhw'n chwerthin … Unrhyw gyfle, unrhyw bryd … Fi'n cofio mynd i ddisgo yn yr ysgol ac o'n i'n gwisgo trwser tri-chwarter a thop bach glas, ac oedden nhw'n gwisgo rwbeth tebyg, ond o'dd dim ots. Naethon nhw ddim byd ond gweud pethe, mla'n a mla'n drwy'r nos.'

'Fel be?' medda Gaf druan, oedd ar goll yng nghanol y Byd Benywaidd Bitshlyd yma.

'O, pethe plentynnaidd … Gweud bo fi'n drewi, bo fi wedi gwneud yn fy nhrwser. Bod 'y nillad i'n dod o siop hen bobl. Gweud bo fi'n meddwl bo fi'n well na nhw, achos bod 'da Mami a Dadi lwyth o bres. Ond bod nhw'n haeddu gwell, a siŵr bod 'da nhw gwilydd 'y ngha'l i fel merch.' Roedd ei llygaid hi'n dechra llenwi eto.

'Ma' hynna'n pathetig,' medda fi. 'Jelys ydyn nhw, siŵr iawn. Anwybydda nhw.'

'O, fe wnes i – am sbel,' medda hi. 'Ond ti'n gwybod shwt

96

ma' merched fel'na. Ma' pawb moyn bod 'da nhw … bod fel nhw. Wedyn, 'sneb arall moyn bod yn ffrindie 'da ti chwaith. Ac erbyn y diwedd, ti'n dechre cytuno 'da nhw, a meddwl bo' ti'n wast o aer.'

'Dyna pam ti 'di symud i'r gogledd?' Roedd rhaid i mi brofi fy theori rhywsut.

'Nage! … Nagoedd Mam a Dad yn gwbod. Caron wedodd wrthyn nhw 'chydig cyn i ni fynd. O'dd e'n gwbod ers sbel, ag o'dd e'n trio'i ore i helpu. Ond so ti'n galler dibynnu ar dy frawd mawr am bopeth, y't ti? A ta beth, fi'n credu taw fe o'dd rhan o'r broblem.'

'Sut?' medda fi, yn teimlo'n annifyr yn sydyn. Ro'n i'n iawn i neud.

'Wel, fi'n credu bod cwpl ohonyn nhw'n ffansïo fe. Ond wrth gwrs, o'dd dim diddordeb 'da fe ynddyn *nhw*, a fi'n meddwl bo' nhw'n … fel … dial arna i am y peth. Stiwpid, yn dyw e?'

'Gwirion bost,' medda fi, yn syllu ar y cnonod bach o oren ar waelod fy ngwydryn. Ro'n i'n teimlo llygaid Gaf yn sbio arna i'n glòs.

'Gwastraff amser, ta beth! … pan ma' cariad 'da Caron yn barod.'

Ma' … cariad … gan … Caron … yn … BAROD!!!!

Nath Gaf fy waldio ar fy nghefn i stopio'r tagu. Darn o donyt, wedi mynd ffor rong. Ac mae o a Fflur wedi mynd i nôl rhagor o jiws rŵan, wedyn fydda i'n iawn mewn munud. Bydda, tad.

22.55

Gaethon ni drydydd. Allan o dri, hynny yw. Roedd hyn yn ganlyniad ffafriol ar ôl y Planed Shambolaidd o berfformiad roeson ni. Dychwelodd Glyn i wlad y Ddwy Droed Chwith, aeth Nerys K. yn boncyrs efo rhythm ei thriongl ac, yn fwyaf *embarrassing*, nath llaw Gaf landio ar un o 'mronnau i mewn camgymêr. Llanast llwyr! Pan aethon ni ar y llwyfan i dderbyn ein gwobr (tocyn llyfr £10 a phecyn o *wine gums* dwi'n meddwl) a'n cymeradwyaeth (tri chlap ac un 'O, chware teg') ro'n i'n marw tu mewn.

Adawodd y Gwrachod yn fuan wedyn. Roedd Jo yn dal i fy anwybyddu i (hyd yn oed yn fwy ar ôl i Caron ddod draw a deud bod ni'n 'lot o sbort') ac roedd Siani Flewog druan yn edrych yn dorcalonnus, ond o leia ma' hi'n mynd ar drip i'r Alpau i hel *moss* anghyffredin fory, wedyn dwi'n siŵr y bydd hi'n iawn. Sy'n fwy nag y bydda i …

Ar y ffor' nôl i'r garafán, nesh i holi am y Cariad. Yn anffurfiol, wrth gwrs. Anest ydi'i henw hi, ac ma' hi'n dod o Gaerfyrddin. Naethon nhw gyfarfod yn Llangrannog llynedd. Ma' hi'n chwarae'r delyn ac yn gneud siarad cyhoeddus. Tydi hi ddim yn y steddfod achos bod hi wedi mynd i Batagonia efo'i rhieni (i swyno *gauchos* efo'i thelyn, beryg). Nesh i drio gneud jôc am Anesti Rhyngwladol, ond toedd hi ddim yn ddigri. Dwi'm yn siŵr os bydda i byth yn chwerthin eto. A tydi Fflur druan ddim yn laff-yr-eiliad chwaith. Bechod.

17.45

Na. Ar ôl heddiw, mae o'n swyddogol! Gen i, Sadie Wyn Jones o Faes y Perthi, Llanfor, y mae'r dynged waetha yn y greadigaeth. Wel, y teulu gwaetha, beth bynnag.

Rhyw fynd ling-di-long hyd y maes oeddan ni pnawn 'ma. Drwy'r bore roedd y ddwy ohonan ni wedi bod yn stelcian yn y garafán. Toedd Ff. ddim isio taro ar y Cawresau ar ôl ddoe, ac o'n i jest yn teimlo'n drist am Caron. *Actually*, ma' trist yn air rhy fach i ddisgrifio fy nheimladau, ond dwi'n methu meddwl am un arall, ac ma' ngeiriadur i adre, wedyn tyff! Erbyn amser cinio, roedd Derec wedi cael llond bol.

'Ma' gen i englynion i'w cyfansoddi i'r Talwrn,' medda fo, 'a tydi'r ddwy ohona chi'n ddim ysbrydoliaeth, wedyn hwdwch! Am y maes 'na!' Ro'th o bapur ugain i Fflur ac un arall i mi a'n hel ni allan. (Dwi'm yn meddwl 'i fod o'n deud y gwir am yr englynion, achos roedd y llenni wedi'u tynnu a sŵn giglo'n dod o'r garafán pan ddaethon ni'n ôl, ond eniwê …) (Gyda llaw – *Hwdwch?!* To'n i'm yn meddwl bod unrhyw un yn deud y gair yna 'blaw mewn nofelau hen ffash yn Gymraeg. Mae o'n swnio fatha bod o'n gofyn i ni wisgo hwdis, dydi? Ymhwdwch, reit handi … Mwydro eto, sori. Unrhywbeth rhag dod at bwynt y stori.)

Erbyn i ni gyrraedd y maes, roedd 'na gymylau'n casglu yn yr awyr, sy'n bechod achos y tywydd sy 'di nghadw fi i fynd yn fy nhristwch enfawr.

'Fi'n credu bod y tywydd yn torri,' medda Fflur. Ia, fel fy nghalon i, feddylish i. Ac yna, disgynnodd dropyn tew o law ar fy nhrwyn. Tydi pobl yn ddigri am y tywydd? Un funud, ma' nhw'n gorwedd yn ddiog yn yr haul ac yn cwyno bod hi'n 'annioddefol', ond yr eiliad y cân' nhw sniff o law, ma' panic llwyr, dwylo allan i farnu'r math o gawod sy ar ei ffordd a chwilio'n ffyrnig yn eu bagiau ... am ymbarél.

Fedrwch chi ddyfalu be ddigwyddodd nesa? Mi *nath* o hyd yn oed groesi fy meddwl *i*, ond dim ond fel hunllef chwim fasa byth yn digwydd mewn bywyd go-iawn. A wedyn dyma ni'n troi cornel ... a gweld y stondin mwya *naff* yn y byd. Roedd ei hanner hi fel paradwys yn Hawaii efo lluniau machludoedd a merched mewn bicinis, ac wedyn roedd yr hanner arall fel pnawn gwlyb ... yn ... wel Blaena, siŵr o fod (sori, Nain!). O'ma, medda fi yn fy mhen; o'ma, jest rhag ofn.

Roedd Ff. wedi sylwi ar yr erchyll-beth, wrth gwrs (wel, roedd hi'n *amhosib* peidio!) ac yn trio nhynnu i tuag ato gan ddeud *'ymbaréls!'* Gyda finnau'n ofni'r gwaetha, ro'n i'n ei thynnu hi oddi wrth y lle, rhag gneud ei bywyd bach hi'n anoddach nag yr oedd o'n barod. Heb sôn am f'un i.

Rhy hwyr. Glywish i'r waedd 'Wei-*hei SEI-DI!*' Yn ara bach, dyma fi'n llusgo tuag at yr anorfod . . .

Weithia, pan 'dach chi'n disgwyl i rwbath fod yn ofnadwy, tydi o ddim cyn waethed â'r disgwyl, nac'di? Wel, dim tro 'ma. Roedd hwn yn *waeth.* Ar un ochr i'r stondin roedd Yncl Kenny, wedi'i wisgo fel Elvis yn y ffilmiau Hawaii ond yr un maint ag Elvis yn Las Vegas. Ac ar ochr arall y stondin roedd Dad mewn cap glaw plastig melyn a siwt, yn trio'i orau i ddawnsio efo'i ymbarél fatha Gene Kelly. O drychinebus deulu, ac o drychinebus ddydd!

'Roeddan ni'n gobeithio dy weld ti, Plwmsan,' medda Gene/Pops yn troi ei ymbarél yn pathetig, 'ond ddudodd dy *fam* na ddylia ni ffonio, rhag ofn i ni dy sdyrbio di.' Gododd o 'i lygaid fel tasa Mam yn wirion bost. Am unwaith, o'n i'n diolch iddi. Am *drio* fy sbario i, o leia.

'Ddaru ni sbio ar y *tywydd* neithiwr, yli,' medda Y.K. yn fuddugoliaethus, fel tasa hyn yn gamp ryfeddol. 'Roedd o'n deud haul *a* chawodydd. A wedyn feddylion ni – Awê! Am y De 'na! Digon o bres gen y petha steddfod 'ma, toes?' Winciodd o ar Fflur. Deimlish i'r hoelen ola'n cael ei gosod yn fy arch. Dyma Fflur yn edrych arna i yn ddisgwylgar.

'Dyma Fflur, fy ffrind,' medda fi, 'a dyma … Dad … ac … Yncl Kenny.' Dyna fo! Ro'n i wedi cyfadde. Ro'n i'n disgwyl gweld Fflur yn ei heglu hi unrhyw eiliad, ond nath hi ddim. 'Faint yw'r ymbaréls pinc?' gofynnodd hi i Y.K. ac wedyn ffwr' â fo.

Wedi iddo fo werthu llwyth o gêr plastig i ni (am nesa peth i ddim, rhaid cyfadde) ro'n i jest yn trio gneud esgus i adael pan ddudodd Y.K. 'Arhoswch am banad. Ma' Esme wrthi'n gneud un rŵan. Ti'n cofio Esme'n dwyt, Seid?'

Esme?! Dwi'm yn meddwl. A wedyn glywish i lais cyfarwydd arall.

'*Kenn-ay, luv! How ma-nay sh-ugars? In ya tay*?'

'*Three*, del. You remember Sadie?'

Y ddynas o'r farchnad ym Mhwllheli. Ond tro 'ma wedi'i gwisgo fel dynes hwla-hwla. 'Blaw bod dim hŵp ganddi, na dim canol ganddi chwaith 'ran hynny. Gwaeth a gwaeth …

'*Ow 'ellow, Say-dee. Youwer dad said yow moight be 'ere. It's grate innit? The aistithffod …*'

'Eisteddfod.'

'*Ay'm sorray luv. Kennay's trying to teach me Welsh.* Un, dai, tray . . .'

'Tri … *Very good.*' Ro'n i mewn sioc.

'Fetia i bo' chdi'n meddwl sut nesh i lwyddo i fachu pishyn fatha hon, yn dwyt?'

Wel … ym, na *actually*. Jyst pam. 'Sut, Yncl Kenny?'

'Es i i Tywyn, yli, ar 'i hôl hi. A defnyddio'n Saesneg gora drw'r dydd. Ac erbyn amser cau bocsys, ro'n i 'di ennill calon yr hogan fach.' Bach. *Bach?!* Ma' 'na forfilod llai yn nofio ym Môr yr Iwerydd.

'Ac ma'i chwaer hi wedi dod efo ni am dro hefyd. *Where are you, Dawn?*'

Ymddangosodd Dawn o'r tu cefn. Roedd hi fel fersiwn wedi shrincio o Esme, ond roedd o fel petai ei phersonoliaeth hi wedi shrincio hefyd, h.y., toedd ganddi hi 'run. Dyma hi'n dod â phaned draw at Pops, ond nath hi ddim codi'i phen i ddeud helô. 'Ta,' medda Dad, heb sbio arni. Roedd o'n brysur yn ffidlan efo'i ymbaréls.

'Reit!' bloeddiodd Y.K. ''Dach chi genod am roi help llaw i ni am awran fach?' Cyn i mi allu protestio, ddudodd o, 'Wedi'r cyfan, gewch chi *fochel dan yr ymbarél tra lalala'*. O Fy Mywyd! Edrychish i allan. Roedd hi'n pistyllio'r glaw rŵan, a phobl yn dechra llithro yn y mwd, ond roedd *hynny* hyd yn oed yn well syniad nag aros yn y syrcas yma. Edrychish i ar Fflur. Toedd hi ddim i'w gweld yn rhannu'r un farn am y sioe ffrîcs o'i blaen.

'Arhoswn ni?' medda hi. A dyna wnaethon ni.

Roedd Y.K. yn iawn (ma'n gas gen i gyfadde). Mi ddaeth y bobl at y stondin yn eu heidiau, ac roedd hi'n lwcus bod Ff. a fi yno oherwydd roedd angen yr help arnyn nhw. Dwi'm yn meddwl fod neb isio cael ei syrfio gan forfil (Esme) na llgodan (Dawn), a fuon ni'n brysur tan amser cau. Duw a ŵyr faint o bobl sy'n cerdded hyd y cae efo melynwy plastig ar eu pennau, ond mi aeth y cwbl lot. Ac nid jest i gwsmeriaid rincli chwaith. Daeth sawl Hogyn Del i mewn, wedi'i ddychryn gan y posibiliad o'r glaw yn ymyrryd efo trefniant ei wax, ma'n siŵr, ac roedd o leia 65% o'r rhain yn meddwl fod yr hetia naffaf yng Nghymru'n cŵl. Rhyfedd o fyd.

Wrth iddyn nhw gau'r siop, glywish i Y.K. yn deud wrth Dad, 'Lle gawn ni stoc lawr fa'ma, dŵad?' Suddodd fy nghalon fatha carreg i bwll y môr.

'Ond 'dach chi'n mynd nôl am y gogledd heno, tydach?'

'Sade, ma' 'na farchnad rhy dda i neud hynny,' medda Y.K.–jest-galwch-fi'n–Fagin, gan rwbio'i ddwylo. 'Newn ni'n dda! Ar gefn y Ta-ffi-a! Boed glaw neu hin-dda!'

O Fod Mawr yn y Nen, oedd o'n trio *rapio*!

'Ond … 'sgynnoch chi nunlla i aros.'

'A-ha,' meddai Y.K., gan dynnu llen y lle paned yn ei hôl. A dyna lle'r oedd hanner cynnwys siop Milletts. Pebyll, sachau cysgu, stôf nwy, hyd yn oed *canhwyllau*.

'Rhag ofn bydd na rrrramant yn yr awyr.'

Rhamant? Toedd 'na ddim byd ond glaw a gwynt, hynny o'n i'n gallu'i weld.

'Welwn i ti fory, Sei-di,' medda Y.K., a'i freichiau'n llawn geriach.

'Dad?' medda fi. Roedd o'n syllu ar ei draed. ''Dach chi ddim angen mynd adre?' Ro'n i'n clywed y mymryn lleia o erfyn yn fy llais.

'Ym … na … dwi'm yn meddwl.'

'Ond be am … waith … a ballu?'

'Fydd petha'n iawn hebdda i, sdi, Sadie,' medda fo, yn swnio'n reit drist.

'*Na* fyddan, Dad. Ma' nhw *angen* chi adra!' Am ryw reswm roedd hi'n holl bwysig, yn sydyn reit, iddo fo ddeall hynny.

Gododd o 'i ben wedyn, a gwenu fel tasa fo'n deud sori. Dyma fo'n pwyntio'i fys tuag at Yncl Kenny – 'Well i mi … ysdi … helpu … efo . . .' Adawodd o'r frawddeg, yn hongian yna, fel cwmwl.

'Reit,' medda fi. To'n i'm yn siŵr iawn be arall i ddeud. 'Wela i chi fory … ella.'

Dwi'n siŵr bod Fflur isio holi, ar y ffordd nôl, ond ei bod hi'n rhy boléit i neud. Fasa Jo wedi gofyn yn syth, dim nonsens. O wel …

19.12

Dwi wedi trio ffonio adre sawl gwaith, ond toes 'na'm ateb. 'Dan ni'n mynd i weld rhyw ddrama heno, felly sgwenna i fory.

Dydd Gwener, Awst 7fed

11.45

Pistyllio'r glaw. 'Dan ni yn y garafán, yn syllu drw'r ffenast. Toes 'na'm byd rhamantus am law. Mewn llyfra a ffilmia, ma' cariadon wastad yn dod at ei gilydd (ar ôl diodda am flynyddoedd ar wahân, wrth gwrs) mewn cawod o law. Neu storm. A tydyn nhw'm hyd yn oed yn sylwi bod hi'n fflipin bwrw. O *pppplis! I mean*, dydi o *ddim yn* brofiad pleserus cael snogsan fach tra ma' tunelli o ddŵr yn disgyn ar dy ben di, nac'di? Ocê, tydw i ddim yn gwbod hyn o brofiad, ond ma' synnwyr yn deud. Eniwê, dwi wedi penderfynu. Ma' cariad yn *overrated*. Dwi am drio rwbath gwahanol ... fel sgio. Neu redeg marathon. Rhwbath defnyddiol.

Ma' Fflur yn anghytuno. Ma' hi'n meddwl bod cariad yn gallu para oes. Ond wedyn, ma'i rhieni hi'n dal i snogio. Pnawn ddoe, pan ddaethon ni'n ôl o'r maes, dwi'n meddwl bod nhw wedi bod yn gneud mwy na snogio, deud y gwir. Roeddan nhw'n sicr yn binc iawn pan ddaethon nhw allan o'r garafán ... O, ych a fi! Ddylia bod o'n anghyfreithlon i bobl focha ar ôl cyrraedd tri deg oed. Tydi o'm yn iawn, nac'di?

Ma'r glaw wedi arafu. Hip hip ayb! Falle gawn ni fynd am dro ...

18.45

Yr unig broblem efo cael steddfod yng nghanol cae ydi bod 'na nunlle arall i fynd. To'n i ddim wir isio mynd ar y maes eto, yn enwedig ar ôl ddoe, ond toedd Fflur a fi'n methu meddwl am rywle gwell.

Beth bynnag, rydan ni wedi gneud rwbath pwysig iawn pnawn 'ma, sef ymuno â Chymdeithas yr Iaith. Digwydd bod, roedd 'na 'rali' (fatha protest, dim fatha ras geir) yn cychwyn jest ar ôl i ni ymuno, a gaethon ni wahoddiad i fynd. Protestio yn erbyn newidiadau mewn addysg oeddan ni dwi'n meddwl, sy'n berthnasol iawn i ni, ac ella fyddwn ni'n mynd i'r brifysgol rhyw ddydd ac isio manteisio ar y cyfle am Addysg Trwy Gyfrwng y Gymraeg. Dyna oedd o'n ddeud ar y placard o'n i'n ei gario a wedyn *MYNNWN EIN HAWLIAU!* mewn coch o danodd. Ro'n i'n teimlo'n reit swil i ddechrau wrth i ni fartsio mewn un criw mawr at babell y Cynulliad, a phawb yn gweiddi'n uchel. Ond ar ôl sbel mi rwyt ti'n dod i arfer, a beth bynnag, yr *achos* sy'n bwysig, yndê? (Er, roedd Ff. a fi'n cytuno fod 'na lot fawr o HDs o gwmpas hefyd – er bod lot ohonyn nhw fymryn yn flêr.) Pan gyrhaeddon ni'r babell, mi nath Cadeirydd y Gymdeithas (oedd yn stiwdant *ofnadwy* o ddel) araith danllyd iawn.

Prun bynnag, *fel* o'n i wrthi'n gweiddi *'Rhyddid i'r Iaith!'* ac yn gwthio nwrn yn yr awyr, pwy welish i o gornel fy llygad ond fy annwyl Dad. Driish i guddio y tu ôl i ieti o foi mawr efo llwyth o *piercings* … ond rhy hwyr. Roedd Pops wedi ngweld i. Dyma fo'n *rhedeg* draw a chydio yng ngholer fy nghot i a nhroi i mor sydyn nes y peth nesa dwi'n gofio o'n i ar lawr, a ngheg i'n llawn mwd.

'Be *goblyn* wyt ti'n *neud*?' medda fo.

'Achlub blypiaith,' h.y. Achub yr iaith efo llond ceg o fwd.

'Ty'd, coda,' medda fo'n halio fi ar y nhraed. Ro'n i'n edrych fel ffoadur o Glastonbury. Roedd Ieti yn glanna chwerthin. 'Wps a deis!' medda fo. Sbiodd Dad arno fo fel bwgan, 'A cau di dy geg, washi, cyn i ti lyncu dy *jewellery*.'

Sodrodd y placard yn ei ddwylo fo, yn mwmian rwbath am 'ddigon o haearn i agor siop', a wedyn, dyma fo'n cydio yndda i yn un llaw, a Fflur yn y llall, a'n martsio ni ar draws y cae. Roedd o fath yn union â tasa ni'n dair oed ac wedi rhedeg i ffwrdd. Ddudodd o'r un gair nes gyrhaeddon ni stondin Y.K. Roedd honno, diolch i'r drefn, yn wag ar y pryd.

Edrychodd o arna i am eiliad, mewn anghrediniaeth.

'Dim ond mynd i'r *toilet* nesh i!' medda fo.

Roedd o'n dal i wisgo'i het blastig a'i siwt Gene Kelly. Ro'n i isio chwerthin, ond nesh i ddim. Ro'n i'n rhy flin.

'Sbiwch ar y *llanast* arna i, Dad!' medda fi. O'n i'n fwd gwlyb o nghorun i'n sawdl.

'Rhy hwyr am ymbarél rŵan!' medda Yncl K. O haha … *not*.

'Ma'r hogan 'ma wedi bod … yn … protestio,' pwffiodd Dad wrth Y.K., 'efo'r … petha *iaith* yna.'

'W, diar,' medda Y.K. yn chwythu'i fochau allan fel balŵns, 'dringo peilons fydd hi nesa, a wedyn gneud bomia.'

'Peidiwch â bod *mor wirion!*' weiddish i'n ôl arnyn nhw. 'Mynnu Addysg Gymraeg oeddan ni, nid bomio awyren!'

'*Terrorists* ydyn nhw, i gyd 'run fath!' medda Dad. 'Sbwylio petha. Mynd i'r eitha!'

'Dim ond gweiddi a cario placard o'n i, Dad.'

''Di'r ots. Ma' nhw i *gyd* yn dechra'n rywle. A'r funud y cân nhw *afael* ynddot ti, wel …'

'Wel … be?'

'Welwn ni monat ti wedyn.'

'Dad, Cymdeithas yr Iaith ydyn nhw, dim y *Moonies*!'

Ond roedd Pops yn sugno gwynt i mewn trwy'i ddannedd, ac yn ysgwyd ei ben. Driodd Fflur egluro wrtho fo.

'Mr Jones, mae Cymdeithas yr Iaith yn credu mewn protestio *heddychlon*. So nhw moyn rhoi lo's i neb.'

'Dwi'n siŵr y basa dy dad *ditha* yn diolch i mi am dy dynnu di o'no hefyd, ngenath i,' medda fo'n smŷg.

'Wel, *ma'* Dad yn aelod o'r Gymdeithas ei hunan, gweud

y gwir. Ers pan o'dd e'n bymtheg oed.'

'Hmmmff,' medda Dad. To'n i'm yn siŵr beth oedd hynny'n ei feddwl.

Dwi'n meddwl bod Fflur druan yn teimlo'n reit *embarrassed*, achos ddudodd hi y basa hi'n 'gadel ni fod' am chydig a nghyfarfod i mewn hanner awr, y tu allan i babell S4C. Dyma Dad yn edrych arni'n mynd.

'Dylanwad drwg 'di honna,' medda fo.

'Nac'di, *actually*, ma' hi'n agoriad llygad,' medda fi.

'Isio sbectol wyt ti, Sade?' Roedd Yncl K. yn dal i drio'r ongl 'ddoniol'.

'Cnafon drwg 'di'r petha iaith 'ma a dyna fo,' medda Dad. 'Dwi'n Gymro fatha pawb arall, dwi'n cefnogi'r rygbi 'na a dwi'n *falch* mod i'n siarad Cymraeg, ond toes 'na'm rhaid stwffio'r peth lawr gorn gyddfa pobl ... a chasáu pobol ddiarth a ballu. Sa hi'n denau iawn arnon ni hebddyn nhw, yn *basa*?' A dyma fo'n siglo'i fys o flaen fy ngwyneb i.

Waeth i chi heb â thrio deud wrtho fo. Ma' gynno fo chwilen yn ei ben am y peth. Un o'r ychydig betha sy'n ei wylltio fo, deud y gwir. Felly benderfynish i fod yn aeddfed ac yn urddasol.

'Dad,' medda fi, 'ma' gynnoch chi farn ac ma' gen *i* farn. Bydd rhaid i ni jest ... gytuno i anghytuno.'

'Dros 'y nghrogi.'

'Os bydd raid.'

Chwarddodd Yncl K. 'Hogan 'i mam 'di hon. Meistras ar Mistar Mostyn.'

Galedodd ceg Dad yn un llinell syth goch.

'Pryd 'dach chi'n mynd adre? At Mam?' medda fi.

Dyma fo'n fflicio'i lygaid draw at Yncl K am eiliad. 'Wel ... ym ... ddiwedd yr wythnos,' medda fo, yn dipyn tawelach rŵan.

'Iawn,' medda fi.

Dyma'r tywel yma'n ymddangos o'm blaen i'n sydyn. Dawn oedd yn ei ddal o.

'*Oy thought, weeth the mwd and everytheeng ...*' medda'r llgodan.

'*No thanks. I'm fine.*'

Nesh i sbrintio draw i S4C heb ddeud ta-ta. Wel, roeddan nhw'n brysur efo cwsmeriaid. Roedd Fflur yn disgwyl amdana i, chwara teg. Diolch byth, toedd Caron ddim yna i ngweld i'n edrych fel lwmp enfawr o faw.

21.50

Wedi trio ffonio adra eto sawl tro, ond toes na ddim sôn am Mam. Gesh i 'sgwrs' efo Taylor jest rŵan ond tydi hynny fawr o iws.

'Ym ... yn tŷ Anti Trace ma' hi, dwi'n *meddwl* ... neu ella mai ddoe oedd hynna ... Gorfod mynd ... gìg ... t'ra.'

I Taylor, roedd hyn yn fonolog Shakespearaidd, wedyn ddyliwn i deimlo'n ddiolchgar. Gwely cynnar heno. Dwi'n meddwl mod i wedi dal annwyd.

Dydd Sadwrn, Awst 8fed

18.37

Newydd ddod yn ôl o'r dre. Toedd Fflur a fi'n methu *wynebu* diwrnod arall ar y maes! Ac roedd Derec a Teleri isio treulio'r dydd yn y Babell Lên (a'r garafán,'dan ni'n amau, o iych!!) Aethon ni ar y bws. Daeth Caron lawr efo ni hefyd gan fod o'n cyfarfod ffrindiau. Y tro yma, nesh i lwyddo i roi brawddegau cyfan at ei gilydd wrth siarad efo fo! Hip hip ayb.

A deud y gwir, rŵan mod i'n *gwbod* fod ganddo fo gariad, ma'n gneud bywyd fymryn yn haws. *I mean*, o leia ti'n gwbod lle *wyt* ti wedyn. Roedd o'n deud y jôcs gwirion 'na, fel 'Be ti'n galw dyn efo gwylan ar ei ben? – Cliff!' a gawson ni laff. Pan gyrhaeddon ni i'r dre dyma Fflur yn picio i nôl ei ffilmiau, a tra oedd Caron a fi'n sefyll tu allan, aeth pethau'n dawel eto am eiliad. Hwyrach *bod* gen i ddychymyg byw, fel dywed Mrs Elin Huws Cymraeg, ond allwn i *daeru* fod o isio deud rwbath. Rwbath o bwys. Ond yn y diwedd nath o mond gofyn os o'n i wedi prynu CD newydd *Recs Ffactor* a ddudish i na, ond mod i wir isio fo, a ddudodd Caron y bydda rhaid i mi wrando arno fo pan o'n i'n dod i weld Fflur yn eu tŷ nhw. A wedyn daeth Fflur allan o'r siop, a dyma Caron yn deud y basa fo'n ein gweld ni nes mlaen.

Roedd lluniau Fflur yn *wych*. Bob tro dwi'n tynnu llun ma' mawd i ar y camera neu ma' pawb yn edrych fel sblojys niwlog. Ond roedd lluniau Fflur yn glir fel gwydr. Roedd 'na lot o Gel, sef ci defaid ei thad-cu, a'r ardal o gwmpas eu fferm nhw yn Nhregaron. A reit ar y gwaelod roedd 'na lun o foi gwallt tywyll a llygaid glas ganddo fo. Roedd o'n edrych tua'r un oed â ni.

'Eifion,' medda hi'n swil i gyd. Ei rieni fo sy'n ffermio

ar ran ei thad-cu rŵan gan fod o'n rhy hen i neud.

'Y fo 'di dy gariad di?' ofynnish i.

'Dim *rili*, achos sa i'n byw yn Nhregaron … Ond fi'n lico fe … a ni wedi cael … ambell snog,' medda hi. 'Be amdanat ti, Sade? Ma' raid bo ti'n lico *rhywun*. Be am Gaf?'

'Gafyn … No wê, José!' Nesh i biffian chwerthin.

'Wel pam ddim? So fe'n mingyr, yw e?'

'Wel, na ond … ma' Gaf fel brawd i mi … ac eniwê, mae o'n licio *pysgota*!' Nesh i giglo eto, a disgwyl i Ff. ymuno efo fi, ond nath hi ddim.

'Fi'n nabod lot o fois deche sy'n pysgota … ma' gwialen 'da Caron hyd yn oed.'

O'n i isio deud y bysa Caron yn edrych yn sgrymi hyd yn oed tasa fo'n gneud rwbath hollol geeklyd fel chwarae gwyddbwyll, ond nesh i ddim wrth gwrs.

'Dere Sadie, dwed wrtha i pwy yt ti'n ffansïo … der 'mlan!'

Roedd Fflur yn swnian a swnian ac yn y diwedd dyma fi'n deud am fy mhrofiad *embarrassing* efo Geraint Gonc yng Nglanllyn. Jest i gau ei cheg hi. (D.S. gweler 5 moment mwyaf *embarrassing* erioed.)

'Dwi rioed wedi cael cariad,' medda fi wedyn wrth Fflur. 'Dwi'n meddwl falle bod yr hogia'n ysgol ni ofn mai *werewolf* ne' rwbath ydw i.' Nesh i chwerthin wedyn, jyst iddi ddeall mai jôc oedd o, a dyma hi'n gwenu'n ôl ond deud dim.

Be os dwi *byth* yn cael cariad? Be os dwi'n byw tan dwi'n 112 a wedi shriflo i gyd fel hen danjyrîn – a toes 'na neb byth yn ffansïo fi? Falle mai Geraint Gonc oedd fy unig gyfle am hapusrwydd! Fasa hynny'n *tragic* yn basa?

Eniwê, gawson ni amser ffablyd yn y dre. Ma' 'na gymaint o siopau ffantastig yno, ac roedd Fflur yn gwbod lle oedd popeth wrth gwrs. Aethon ni i drio lipstics yn *Boots*.

Brynish i un efo aur yn mynd drwyddo fo. Ma' Fflur yn deud mod i'n siwtio lliwiau hydrefol gan fod 'y ngwallt i'n frown. To'n i'm 'di meddwl am hynny, achos dwi jyst yn licio lliwiau pinc a piws, ond dwi'n meddwl bod hi'n iawn. Brynish i focs bach o *eyeshadows* brown a gwyrdd ac aur hefyd. Wedyn brynish i sgert efo *layers,* a blows print yn y sêl, ac roeddan nhw yn edrych yn olreit! Ma' Ff. yn deud mod i'n lwcus oherwydd bod fy *boobs* anferthol yn rhoi siâp da i mi (ma' hi'n hollol fflat!). Dwi'n siŵr mai trio codi nghalon i am y diffyg cariad oedd hi drwy'r pnawn, deud y gwir. Chwarae teg iddi, ma' hi'n driw iawn, iawn. Jest … bechod 'sa Jo yma hefyd. Mi fasa hi wedi bod wrth ei bodd yng Nghaerdydd, a mi fasan ni 'di sgrechian chwerthin ar rai o'r pethau welson ni. Tydi Fflur ddim yn 'berson sgrechian chwerthin' rwsut. Ma' hi'n fwy difrifol … Ta waeth, gaethon ni amser bril, ac roedd hi'n braf iawn dianc o'r maes hefyd.

23.43

Ma' Ff. a fi newydd orffen pacio, yn barod i fynd nôl i'r gogledd fory. Ma' Derec a Teleri a'r gweddill dal tu allan wrth ymyl y barbeciw gawson ni heno. Roedd o'n *lyfli*! Dim jest sosej a bîffbyrgyrs fel 'dan ni'n gael adra, ond cyw iâr a *corn on the cob* a bob math o lysia wedi'u rhostio a salads *posh*. Roedd ffrindiau'r teulu yno hefyd, ac roeddan nhw'n glên. Be dwi *wir yn* licio ydi bod y teulu i gyd yn siarad, a holi am ei gilydd. Toes 'na neb yn cyfarth ordors fel ma' pawb yn tŷ ni. Neb yn gweiddi chwaith. Ma' hi wedi bod yn wythnos ffantastig a ma'n gas gen i feddwl am fynd adre.

Dydd Sul, Awst 9fed

13.30

Rydan ni newydd stopio am ginio dydd Sul rhywle yng nghanol Cymru. Iym-iym, dwi'n llwgu! Bydd raid i'r deiet ailgychwyn fory, wedyn dwi wedi penderfynu mod i am neud y gorau o un sgram arall cyn hynny.

Ffoniodd Mam jest cyn i ni adael y maes carafannau. Roedd hi'n swnio'n od, fatha bod ei llais hi'n tagu 'chydig bach.

'Ti'n iawn, cariad?' medda hi. O'n i'n gwybod fod rwbath yn bod. Tydi hi *byth* yn galw fi'n cariad.

'Be sy?' medda fi'n ôl.

'O, dim byd. Ym … isio gwbod pryd fyddi di'n ôl.'

'Tua amser te. Fyddwch chi yna? 'Dach chi'm yn gweithio, nac'dach?'

'Wel, nac'dw siŵr!' A dyma hi'n tincial chwerthin ochr arall y lein.

'Jest … o'n i isio i chi ddiolch drosta i. I Derec a Teleri.'

'Pwy?'

'Rhieni Fflur.'

'Mr a Mrs Williams. Paid â bod yn bowld!'

'Na! Dyna ddudon nhw … o, dim ots. 'Dach chi'n iawn, Mam?'

'Yndw i. Pam?' medda hi'n startslyd wedyn.

'Bod yn glên ydach chi. Dwi'm 'di arfar. A dwi 'di trio ffonio sawl gwaith. Naethoch chi ddeud mod i fod i neud. A toedd 'na neb yna.'

'Ia. Ofyrtaim, ysdi. Lot ohono fo wthnos yma.' Roedd ei llais hi'n dod mewn talpia, fatha lympia o sôs coch.

Cyn i mi allu ateb, medda hi 'Wyt ti wedi … gweld dy dad o gwbl?'

O'n i'n gwybod yn syth wedyn bod rhwbath *mawr* yn bod.

113

Wel, taswn i'n onest, ro'n i'n gwbod y diwrnod o'r blaen. Jest, o'n i isio mwynhau'r wythnos yma, heb orfod meddwl am ddim byd arall.

'Wel … do,' medda fi, yn y diwedd. 'Mae o yma … yn y steddfod. Oeddach chi'n *gwbod* hynny, doeddach Mam?'

'Wel, oeddwn siŵr, hogan wirion! Isio gwbod os oeddat ti wedi'i *weld* o o'n i. Ar y cae.'

'Ar y maes, Mam … Do, wrth gwrs. Mam be sy'n . . .'

Ond mi dorrodd hi ar fy nhraws i, 'Dyna ni 'ta. Siwrna dda i ti. Bihafia dy hun. Wela i di wedyn. Ta-ra.'

Ddo'th hyn yn un rhibidirês o eiriau heb gymryd ei gwynt cyn gorffen yr alwad yn swta. Ma'n rhaid mod i'n sbio'n wirion ar y ffôn achos glywish i lais yn deud 'Ti'n iawn? Neith e'm brathu, twel. *Ffôn* yw e. Ma' nhw i gael yng Nghaerdydd ers blynydde!'

Caron! Yn chwerthin arna i, eto. Dyma fo'n edrych fymryn yn fwy clòs arna i, a deud 'Ti *yn* olreit, wyt ti?'

'Yndw *tad*,' medda fi mewn dynwarediad perffaith o lais Mam, 'Be?' medda fi wedyn gan fod o'n dal i syllu. Ro'n i'n gwisgo'r dillad newydd brynish i ddoe.

'Stwff pert yn y siope ddoe,' medda fo gan wenu ac agor drws y car. OMG! O'n i'n crynu'r holl ffor' i Lanelwedd, ond yn trio atgoffa fy hun o'r ffeithiau canlynol:

Ma' gan Caron gariad. Efo enw neis, teulu da a diddordebau traddodiadol Gymreig. Toes gen i ddim *pedigree* tebyg. Dim ond mwngrel o Gymraes ydw i, yn byw efo *pedigree chums*.

Yn ôl sawl alien … sori, athro … sy wedi *trio* fy nysgu (?) ar hyd y blynyddoedd, dwi'n tueddu i 'freuddwydio' a 'byw mewn ffantasi' o achos fy 'nychymyg byw'. Ma'n anodd iawn, felly, i mi gadw unrhyw synnwyr call o realiti y rhan fwya o'r amser.

W, iym. Ma'r bwyd yn cyrraedd. Mwy ar ôl cyrraedd adre.

22.57

Home, sweet home. Dyna ma' nhw'n ddeud yndê? Wel, 'swn i'n teimlo'n fwy cartrefol yn Timbyctŵ heno, a sgen i'm syniad lle ma' fan'no. Gyrhaeddon ni adre tua 5.30. Ges i wên neis arall gan Caron, a hygs a diolch mawr gan Fflur.

'Pam ti'n diolch i mi?' medda fi. 'Gesh i amser grêt. Fi sy fod i ddiolch i ti!'

Ges i wahoddiad gan Derec a Teleri i alw draw unrhyw dro, a wedyn dyma Mam yn ymddangos wrth y car.

'Diolch yn ofnadwy i chi dros Sadie ni. Ma' hi wedi byhafio, gobeithio?' Roedd ei wyneb hi fel lleuad yn ffenest y car. 'Ddowch chi i mewn am baned?'

'Ma' nhw isio cyrraedd adre i ddadbacio,' medda fi, gan neidio allan o'r car. To'n i'm isio i Mam greu mwy o embaras nag oedd rhaid.

'Rhywbryd eto, Mrs Jones,' medda Derec yn gyfeillgar wrth nôl fy nghes o'r bŵt. Wel, roedd rhaid iddo fo ddeud rwbath, toedd? 'Neu ga i alw chi'n Glenda?'

'Glen, plis,' medda hi, gan gochi. *Get a grip*, Ma, medda fi wrth fy hun, ma'r dyn yn *gynhyrchydd teledu*!

Safodd Mam a fi yn y dreif yn eu gwylio nhw'n mynd, pawb yn chwifio arna i fatha lŵns a chanu corn yr holl ffor lawr y lôn.

'Pobol neis,' medda Mam, a throi'n ôl am y drws.

Roedd y tŷ fel pìn mewn papur. 'To'n i'm isio iddyn nhw feddwl mod i'n ddynas-gadael-petha-i-fynd,' eglurodd Mam, gan redeg ei llaw dros dop y bwrdd pren sgleiniog yn yr *hall*. A wedyn, 'Gymri di baned, Sadie?'

Roedd hyn yn od. Pawb drosto'i hun ydi hi acw gan fwya, a Sadie'n forwyn fach dros bawb. A pheth arall, toedd 'na

115

ddim smic o sŵn yn unman.

'Lle ma' pawb?' ofynnish i.

'Ma' Taylor yn y ganolfan hamdden. Mae o'n gneud yn dda iawn, cofia. Mae o wedi bod yno ers wythnos a dio'm 'di colli'i joban eto.' Roedd hyn yn jôc … dwi'n meddwl.

'Lle ma' Hayls?' medda fi.

'Wedi mynd at Anti Trace. Chênj bach. Fydd hi'n ei hôl wedyn.'

'A Dad?'

Tawelwch.

'Ydi o'n ei ôl eto? O'r steddfod?' Roedd 'na rwbath oer yn cripian lawr 'y nghefn i.

'Y peth ydi …'

'*Ydi* o'n ei ôl?'

'Nac'di. Dim eto. Ym …'

'Wel, ma'n rhaid bod o wedi torri lawr 'ta. Ydi o wedi ffonio?'

'Dim heddiw, naddo pwt.'

'Wel, pryd 'ta?'

'Pryd oedd hi, ym …?'

'*Ddudodd* o y basa fo'n ei ôl. Pan welish i o.'

'Do?' A dyma'i llygaid hi'n fflachio'n sydyn. 'Pryd?'

'Dydd Gwener. Pnawn dydd Gwener.' Ro'n i'n bendant iawn.

'O. Reit. Wel … ym … gwranda, Sadie, ma' dy dad a fi …'

'Na!' medda fi. 'Dwi'm isio clywed.'

Driodd Mam gario mlaen, yn bwyllog, yn araf. ''Dan ni wedi penderfynu … dim ond am sbel, cofia … y basa hi'n well i ni …' Dyma fi'n codi 'nwylo dros fy nghlustiau. 'Lalalalalala,' medda fi. Gafaelodd Mam mewn un llaw, a chydio ynddi.

'Tydan ni ddim wedi bod yn dod ymlaen ers sbel, ysdi

116

Sadie,' medda hi, yn dyner rŵan, yn fwy clên o lawer na fy mam i.

'Ia, ond 'dach chi fod i *weithio* ar berthynas. Dyna mae o'n ddeud yn y cylchgrona. Yn eich *Cosmo* chi. Dyna mae Phil a Fern yn ddeud ar *This Morning*.' Dwi'm yn siŵr pryd gyrhaeddon nhw statws proffwydi, ond eniwê.

'Ma' dy dad isio cymryd brêc bach, 'na'r cwbl. A gan 'i fod o'n mwynhau'r busnas stondin 'ma efo Kenny, wel ...'

'Am faint mae o'n mynd 'ta?' Dim ateb. '*Am faint?*'

Pan gododd Mam ei phen, roedd ei llygaid hi fel pyllau mawr. O'n i'n gweld adlewyrchiad fy nghrys-t gwyn ynddyn nhw. 'Dwi'm yn gwbod,' medda hi, a dyma'r pylla'n gorlifo ac yn dechra rhedeg lawr ei bocha hi fatha afon ar ôl gormod o law.

Dyma fi'n saethu ar fy nhraed. 'O na!' medda fi. 'Peidiwch chi â *meiddio* crio.' O'n i'n flin rŵan. Blin bod hi'n teimlo bechod dros ei hun, ac yn fwy blin fyth achos bod hi fel hogan fach yn sydyn. 'Arnoch chi ma'r bai!' medda fi. 'Os neith Dad ... os neith o ddim . . .' To'n i'n methu deud y geiria. Oedd o fel tasa'u deud nhw'n gneud y peth yn wir. A does 'na *no way* ma' hyn yn cael bod yn wir!

Nesh i sefyll yna am eiliad, a wedyn dyna Mam yn estyn ei breichiau amdana i. 'Na!' medda fi. 'Dach chi ddim yn cael torri fyny. Iawn? Dach chi jyst *ddim*.'

Yn y llofft dwi 'di bod wedyn, drwy gyda'r nos. Driodd hi gnocio ar y drws. Driodd Anti Trace hefyd, ond dwi 'di rhoi cadair yn sownd yn ei erbyn o. Dwi'm isio nhw yma. Dwi'm isio nhw'n molicodlo fi ac yn siarad rwtsh. Dwi'm isio nhw'n trafod 'brêcs' a 'bod yn anhapus'. Dwi'm isio clywed dim ohono fo! Tydyn nhw *ddim* yn torri fyny. Tydyn nhw ddim. A dyna'i diwedd hi.

Dydd Llun, Awst 10fed

19.34

Pan ddeffrish i bore 'ma roedd hi'n haul braf. Fedri di'm bod yn *depressed* pan ma' hi'n braf, medda fi wrtha fi fy hun. A ti'n deffro'n gynt pan ma'r haul allan, twyt? Mae o fatha bod yr haul yn deud 'Ty'd, coda! Ti'm isio wastio'r dydd.' Yn y bore ma'i dal hi ma' Dad yn ddeud. Tydi o ddim yn ei ôl eto ond mi *fydd* o'n ôl, dwi'n gwbod. Dwi'n ei nabod o. Fasa fo byth yn … Dwi'n gwbod yn iawn be sy'n digwydd. Mam sy'n trio creu creisis a rhoi'r bai ar Pops, ond tydi hi ddim yn fy nhwyllo i. Cwpl o ddyddia a mi fydd Dad yn ei ôl. Fydd bob dim nôl yn normal – h.y. llond tŷ o lŵns (blaw fi) yn trio rhannu bathrwm.

Dwi 'di bod yn y gwaith heddiw. Dwi'n licio deud hynna, ma'n gneud i mi deimlo'n hŷn. Yn anffodus, roedd rhaid i Hayls ddod efo fi gan fod Heather yn dioddef o ddiffyg lliw haul. Y Ffliw ma' hi'n ei alw fo, ond dwi'n gwbod yn well. Wrth i ni gerdded at y bws, welson ni'r Ddwy Nodwydd yn trin eu rhosod yn yr ardd. Dim ond 8.40 yn y bore ocdd hi hefyd!!! Dyma Nodwydd Un yn codi llaw ar Hayls, a rhuthrodd hi draw ati a chydio'n dynn yn ei choes.

Erbyn i mi lwyddo i lacio gafael Hayls ar y nodwydd, a stopio'r corws o 'Anti *Eilys*! Isio *Anti Eilys*!' roeddan ni wedi colli'r bws.

'Isio mynd i neu' jympyr!' Roedd hi'n dal i gnewian yn y bys-stop.

'Wyt ti wedi bod yn nhŷ Anti Eirlys 'ta?' medda fi, yn teimlo'n od wrth alw'r Nodwydd wrth enw go iawn.

Nodiodd H yn sobor. 'Pan oedd Dadi a Mami'n ffaeo, a Nicky'n bangio ar y wal.'

'Wel, dwi'n ôl rŵan,' medda fi a chydio'n dynn yn ei llaw, 'a 'na i edrych ar d'ôl di. Iawn?'

Ma' Ange yn cael mwy o broblemau efo Gar. Pan gyrhaeddon ni'r siop, toedd Anti T ddim yno, diolch byth, achos roeddan ni hanner awr yn hwyr. Roedd Ange ar y ffôn a Carol yn sefyll wrth ei hymyl, yn sipian te. Wel, dwi'n *meddwl* mai te oedd o, er bod ogla tebyg i doman dail arno fo.

'Dwi'n *gwbod* bo chdi 'di bod efo hi!' medda Ange yn ddagreuol. Basiodd Carol ddarn o *toilet roll* iddi, ac ysgwyd ei phen.

'Sut *allat* ti, Gar? A finna 'di gneud lasagne i chdi nos Wener … Ia wel toedd gen i'm help mod i 'di cael byg nagoedd? … Naci, *dim* y lasagne oedd ar fai!' A dyma hi'n slamio'r ffôn i lawr, a deud yn union be oedd hi isio neud i Gar. Sobrodd Ange rhyw fymryn wedyn, a sbio ar y ffôn yn anobeithiol. 'Nesh i *lasagne,*' medda hi eto, fel tasa fo'n ateb i heddwch rhyngwladol, 'lasagne ydi'i *ffefryn* o …' Roedd Carol yn dal i basio darnau papur toilet iddi nes oedd 'na resaid o blobs pinc gwlyb ar hyd y cownter.

Roedd Hayls yn hapus braf yn trio hotpants a sandals sodla uchel, felly dyma fi'n gadael iddi. Daeth 'na lwyth o gwsmeriaid i mewn efo'i gilydd wedyn. Criw o ferched o Sweden oedden nhw, yn teithio rownd Ewrop neu rywbeth. Roedd golwg isio bàth arnyn nhw deud y gwir, a to'n i'm yn siŵr os dylian nhw drio dillad neu beidio, ond ddudodd Carol 'iawn' wedyn ffwr' â nhw. Safish i o flaen y stafell newid yn gwrando ar eu lleisia hyrdi-gyrdi nhw'n siarad Swedeg. Roeddan nhw wedi mynd â *llwyth* o ddillad i mewn efo nhw, ond roeddan nhw'n gyflym iawn yn trio, a dyna nath fi'n amheus. Pan ddaethon nhw allan, aethon nhw'n syth at y til. Dim ond *un* crys-t a phâr o shorts brynon nhw rhyngddyn nhw! Nesh i aros wrth ymyl y drws, ac wrth iddyn nhw adael dyma fi'n gofyn yn boléit os cawn i edrych yn eu bagia nhw. Chwerthon nhw arna i a cherdded yn gyflym allan o'r siop. A wedyn ddechreuon nhw redeg, felly redish i ar eu hôl nhw a gweiddi 'Stopiwch nhw! Ma' nhw'n dwyn dillad!' Rhywsut, nesh i lwyddo i fachu coler un ohonyn nhw a'i thynnu hi i'r llawr. Roedd o fatha bod mewn ffilm! Gydish i yn ei bag hi a sbio i mewn, yn disgwyl gweld llwyth o dops bach a bicinis ayb, ond toedd 'na ddim byd yno.

'*Weel you get orff me please!*' medda'r hogan, gan mod i'n ista ar ei bol hi erbyn hyn. '*I haff to catch ze bus for Sights of Anglesey treep!*' Glywish i lais yn gweiddi fy enw i, a phan droish i mhen, roedd Anti Trace yn rhedeg tuag ata i yn gweiddi 'Be *aflwydd* wyt ti'n *neud?*' Rewish i wedyn, to'n i'n methu symud modfedd. Roedd yr hogan o Sweden yn dechrau mynd yn biws. Ac yna, glywish i lais arall yn dod o rywle.

'Prysur bore 'ma?'

Na! nananana! *Plis* na! … Caron. Yn edrych yn fwy Duw Rhywllyd nag erioed mewn shorts denim a fest gwyn. Bu bron i mi ddriblo ar y ferch o Sweden, cyn i mi gofio lle o'n i a chodi odd'arni. Gwenodd Caron a chwifio llaw cyn mynd yn ei flaen. O drychinebus awr!

Pan ddoish i nôl i'r siop roedd Hayley wedi pi-pi yn yr unig bâr o hotpants coch seis deg oedd ar ôl, ac roedd 'na gwsmer wedi dod i'r dre yn sbesial i'w prynu nhw. Gynigiodd Anti T eu golchi nhw a'u gwerthu nhw iddi am hanner pris (cynnig teg iawn o'n i'n meddwl) ond sgrwnshiodd y ddynes ei thrwyn a deud na fasa hi'n dod ar gyfyl y siop fyth eto.

Toedd Anti T ddim yn ei hwyliau gorau wedyn wrth gwrs, er, chwarae teg, nid y fi gafodd y bai i gyd. Ange gafodd y ram-dam fwya am ddod â'i 'bywyd personol i'r gwaith. Eto!' Dyma Ange yn trio deud mod i'n rhy ifanc i fod yn gyfrifol p'run bynnag, ond ddudodd Anti T mod i wedi ymddwyn yn llawer mwy cyfrifol na hi *a* Carol, ac o leia mod i'n gwarchod y siop. Edrychodd Ange arna i efo llygaid diafol, a nesh i ddianc i glirio'r stafelloedd newid. Roedd y dillad yn hongian yn dwt ar eu hangyrs ble gadawodd y merched o Sweden nhw. Ma'n rhaid bod arferion siopau dillad yn wahanol yn Sweden … fatha ma' Ffrancwyr yn bwyta ceffylau. A phobl Korea yn bwyta cŵn. Ych! Dwi newydd ddychmygu bwyta Elfis i de. Dwi'n teimlo'n sâl rŵan …

Eniwê, wrth i mi orffen clirio'r dillad, ddaeth Anti T draw. 'Ga i sgwrs fach, am dy fam?' medda hi. To'n i ddim yn y *mood* am bregeth. ''Sdi be?' medda hi, yn setlo lawr am sgwrs go-iawn. 'Ti'n debyg iawn i fel o'n i pan o'n i'r un oed â ti.'

Synhwyrol, aeddfed, rhesymol? 'Ym … sut?'

'Wyddost ti be o'n i'n galw dy nain?'

'Boncyrs bost?'

'Hitler!'

Weird de? Ond nesh i ddim deud wrthi am Mein Fuhrer. Gariodd Anti T yn ei blaen. 'O'n i'n meddwl bod hi'n galed. Yn hefru arna i a dy fam bob munud, yn mynd allan i weithio a gadael ni i neud ein te ein hunain … Un tro – ac ma' gen i gwilydd deud hyn wrthat ti – ddudish i wrthi mai ei bai hi oedd o fod dy daid wedi marw, ac mai ei nagio hi oedd 'di'i ladd o.'

Grychish i nhrwyn. Roedd hynny *yn* gas. Gollodd Nain ei gŵr yn ifanc – hartan – ac ma' Mam yn deud bod ei chalon hitha wedi torri ar ôl iddo fo fynd.

'Toedd hynna ddim yn deg iawn,' medda fi, mor ddiplomataidd â phosib.

'Nagoedd. Ond ar y pryd o'n i'n credu pob gair. I mi roedd dy nain yn ddynes galed – fatha dynes wedi'i naddu allan o dalp o garreg.'

'Ond *tydi* hi'm fel'na,' medda fi. Ro'n isio'i hamddiffyn hi rŵan. 'Ma' hi'n cŵl! Ma' hi'n gwirioni ar Hayls a fi – a hyd yn oed ar Taylor – a ma' hi wastad yn gneud bwyd i ni a … wel, jyst *actio*'n galed ma' hi.'

Nodiodd Anti T. 'A wyddost ti pwy 'di'r ddynes debyca'n y byd i dy nain? Dy fam. Rŵan meddylia di am hynny.'

Ddechreuish i drio egluro wrthi fod Mam a Nain yn *hollol* wahanol, ond dorrodd Anti T ar fy nhraws i.

'Wna i ddim ffraeo efo ti am y peth,' medda hi'n dawel, 'a wna i'm lladd ar dy dad chwaith, achos fasa hynny ddim yn deg, ond Sadie fach, ma' dy fam yn trio'i *gora*. Ac os wyt ti'n meddwl 'i bod hi'n nagio a'i bod hi'n galed, cofia be ddudis di am dy nain – dim ond *actio* felly ma' hi.'

Nesh i drio meddwl am be ddudodd Anti T, do wir rŵan, ond pan gyrhaeddodd Hayls a fi adra roedd 'na restr *anferth* o bethau i'w gneud (gan gynnwys llnau cwt Elfis, fy nghasaf peth yn y byd i gyd) a dim sôn am Mein Fuhrer. Mi nath Taylor ymddangosiad (byr): 'Ym … ma' isio i chdi neud y smwddio, medda Mam. Dwi 'di rhoi dillad gwaith i fewn hefyd, laic … Off i gìg, t'ra.'

Gofish i wedyn – ma' hi'n nos Lun! Noson y 'Gens'. *So*, ma' Mam yn poeni gymaint am be sy'n digwydd rhyngddi hi a Dad, be ma' hi'n neud? Mynd allan am jolihóit a gadael Hayls a fi yn tŷ ar ben ein hunain. Sy'n anghyfreithlon, gyda llaw! A dwi'n sori, Anti T, ond fi oedd yn iawn am Mam, dim chi.

22.20
Newydd feddwl, be os ydi Mam yn cael affêr? Mae o'n gneud synnwyr ac ma' sawl arwydd posib: gwaith newydd, ffrindia gwaith newydd, nosweithia wythnosol allan heb Pops, nagio'r teulu drwy'r amser, a beirniadu Dad achos bod o ddim fel ma' hi isio iddo fo fod. Falle bod 'na ddyn

arall a bod hi'n trio cael gwared o'r euogrwydd trwy neud i Dad deimlo'n ddrwg. Yr unig broblem efo'r theori yma ydi pwy fasa isio bod efo hi? Dwi am feddwl am hyn wrth i mi drio setlo i gysgu.

Dydd Mawrth Awst 11eg

14.08

Nesh i daclo Mam am y peth bore 'ma. Roedd hi ar shifft hwyr, oedd yn lwcus achos roedd hi'n edrych fel gweddillion un o brydau Elfis – h.y. *rrryfff* yn hytrach na *wwwfff*!

'Mam?' medda fi, gan ddewis tôn aeddfed a rhesymol.

'Be rŵan, Sadie? … Dim o dy lol di heddiw, chwaith. Ddudodd Tracy wrtha i sut nes di neidio ar ben cwsmer ddoe. Druan ohonyn nhw!'

'*Be?* 'Dach chi'n trio deud mod i'n dew?'

'Nacdw siŵr. Dwyt ti'm yn dew, Sadie, ond mi allet ti golli pwys neu ddau.' Dyma hi'n sugno'i stumog ei hun i mewn a trio dal ei hadlewyrchiad yn y popty, ond wedyn gath hi bendro, a gorfod eistedd yn sydyn.

'Cer i'r cwpwrdd i nôl cwpl o dabledi cur pen i mi, nei di?'

'Be 'di'r gair bach?' medda fi, achos dyna ma' hi wastad yn ei bregethu wrtha i.

'Rŵan!' Roedd ei wyneb hi'n wyrdd golau, ac felly mi heglish i hi fyny'r grisia i'r bathrwm. Pan ddoish i nôl, roedd hi'n plygu dros y sinc yn sychu'i cheg.

'Tydi o ddim yn beth iach, chwdu yn fan'na,' medda fi.

'Nei di gau dy geg! Am *unwaith*!' Roedd hi wir yn flin rŵan. 'Mwydro fi'n rhacs bob munud. Ti *jest* fatha dy dad!'

Ac oedd hynny i fod yn beth drwg? 'Wel, dwi'n *falch* mod i fatha Dad. O leia dwi'm yn chwerw ac yn flin … ac yn … alcoholig sy'n cael *affêr,* fatha *chi*!'

Stopiodd Mam yn stond. Dyna fi wedi deud wrthi! Yna mi gododd ei phen yn araf tuag ata i, a'i dwylo'n dal i gydio'n dynn yn y sinc.

'Be … ?' medda hi'n araf, araf. 'Ti'n meddwl *be* …?'

Roedd o'n un o'r eiliadau yna lle ti wir ddim yn gwbod be ddaw nesa. Gydish i yn handlen y drws, yn barod i ffoi os oedd Mam yn sbrowtio blew a dannedd miniog, ond nath hi ddim. Ar ôl eiliad barodd chwarter awr, dyma hi'n dechra chwerthin. Chwerthin heb neud sŵn, ac ysgwyd ei phen. A wedyn dyma hi'n dechra crio, ond roedd hi'n dal i chwerthin hefyd. Roedd o'n reit glyfar, deud y gwir. Ond ro'n i'n *confused*! Heb ddeud gair wrtha i, pwyntiodd Mam at y tegell, ac mi nesh i baned, a steddodd y ddwy ohonan ni i'w hyfed hi wrth y bwrdd. Roedd Mam yn dal i snwfflan, ond roedd hi fymryn yn fwy normal.

'Sadie,' medda hi, yn cydio yn fy llaw. Nesh i 'i chipio hi'n ôl wrth gwrs, *I mean* 'di hi'm yn *gariad* i mi na dim nac'di?

'Ia?' medda fi.

'Dwi'n mynd i drio siarad efo ti fel oedolyn rŵan, olreit?'

O'r *diwedd*! 'Iawn,' medda fi, gan nodio'n ddoeth.

'Reit … i ddechrau, tydw i *dim* yn alcoholig, a tydw i *ddim* yn cael affêr chwaith.'

'Ia, wel fasach chi ddim yn *cyfadda* na f'sach?'

'Trystia fi, pwt.' Hy! Ie. Reit.

'Y rheswm … dwi newydd fod yn sâl … ac wedi bod yn teimlo felly ers rhai wythnosa …' Dyma hi'n stopio am eiliad. Roedd hi'n siarad yn araf, yn gosod pob gair yn ofalus fel tasa nhw'n frics i adeiladu wal. Aeth rwbath oer drwydda i.

''Dach chi'n marw, tydach? Ma' ganddoch chi …'

'Nac'dw Sadie, dwi ddim yn marw. Dwi'n disgwyl babi.'

15.10

Ma' Mam wedi mynd i'r gwaith, a Hayls yn chwarae efo Ben. Dwi'n ista ar fy ngwely, heb symud modfedd ers hanner awr. Ma'n rhaid mod i mewn sioc. Dwi newydd tsiecio fy mhyls, a dwi dal yn fyw. Jest. Falle dylswn i fynd i *casualty*, rhag ofn. Ond wedyn mi fasa'n rhaid egluro. A fasa hynny … wel … yn ddigon amdana i.

16.15

Dwi wedi gadael cwpwl o oriau i basio cyn cario mlaen. Ro'n i'n teimlo fod hyn yn beth call i neud, dan yr amgylchiadau. A rŵan dwi'n teimlo'n barod ac yn abl i gynnig ymateb aeddfed a niwtral i'r sefyllfa. *Actually*, nac'dw. OMG, be ddaeth dros ei *phen* hi? A Pops hefyd, ran hynny, achos wrth reswm *'it takes two'*. O, ych a pych. Dwi'm hyd yn oed isio *meddwl* am hynny! *I mean,* dwi *yn* gwbod sut gyrhaeddish i i'r ddaear hon, ond roeddan nhw'n *ifanc* bryd hynny, neu'n ifanc-*ish* beth bynnag. Ma' Mam yn 40 'leni, a Dad yn 41! Ma' nhw fwy neu lai'n tynnu'u pensiwn. Sut medran nhw gael *babi*, pan ma' nhw'n *antiques*?

Sut, yn enw Llywelyn Ein Llyw Olaf, ydw i'n mynd i wynebu *hyn*? Y snigro yn yr ysgol, y sgrechian drwy'r nos … *I mean*, ma'r peth yn warthus! A phcth arall, sut medar Mam fod yn disgwyl pan ma' Dad a hi'n gneud dim byd ond ffraeo drwy'r amser? Tydyn nhw'm hyd yn oed yn snogio fatha Derec a Teleri. Ma'n rhaid bod o'n gamgymeriad. Oni bai … fod Mam *wedi* cael affêr, a rŵan yn trio rhoi'r bai ar Dad. A be os na ddaw Pops yn ei ôl? O, dwi jest ddim yn gwbod *be* i feddwl ddim mwy. O'r blaen mi faswn i wedi ffonio Jo yn syth, ond fedra i ddim rŵan. A ma' gen i ormod o gwilydd i ffonio Fflur achos ma'i theulu hi mor berffaith. Nesh i drio tecstio Gaf – ond ches i'm ateb. Mae o'n brysur yn dal pysgod yn rhywle, beryg. A p'run bynnag, mae o'n hogyn, a dwi'm yn meddwl sa fo'n dallt.

Na, ma'n rhaid i mi dderbyn y peth! Y fi fydd testun sbort y pentref ac yn yr ysgol am weddill fy mywyd, am gael rhieni mor gwbl ffrîclyd.

22.52

Wna i'm cysgu heno. Cwbl sy o mlaen i ydi oriau o gysidro'r ofnadbeth (gair Sadie) sy'n mynd i ddigwydd yn tŷ ni. Mam newydd fod i mewn i ddeud nos da a 'chael gair'.

'Paid â sôn wrth neb, ysdi, ffrindia. Nac wrth Taylor a Hayley. Dim eto,' medda hi'n sibrwd a sbio ar batrwm y dwfe.

Ie, reit! To'n i'm *exactly*'n mynd i ffonio'r *Daily Post* i ddathlu, nac oeddwn? 'Ddylia bo ganddoch chi gwilydd!' medda fi.

Saethodd ei phen hi i fyny. 'Cwilydd?' medda hi'n syn. 'Pam?'

'Wel … 'dach chi'n rhy hen i gael babi, ac eniwê ma' 'na ormod o bobl yn y byd yn barod. Ddudon nhw ar *Newsround*.'

Ochneidiodd hi'n hir wedyn, fel tasa hi'n trio gadael i'r straen ddianc i gyd. 'S'gen i'm amser i hyn rŵan, Sadie. Bydd yn hogan dda a cer i gysgu.'

'Be am Dad?' medda fi. 'Ydi o wedi ffonio?'

'Nacdi.'

'Ond mae o'n gwbod … am y babi?'

Nodiodd hi, a gwên fach ar ei hwyneb 'O ydi! Dyna pam aeth o. Yn rhannol. Isio amser i feddwl mae o.' Roedd hi'n edrych yn flinedig iawn rŵan.

'Ond mi ddaw o'n ôl, yn daw?'

Gyffyrddodd hi yn fy llaw i a nhynnu i ati, ro'th hi gwtsh bach i mi, a mynd. Os oes 'na un peth dwi wedi'i ddysgu dros y blynyddoedd, pan ma' rhieni'n gwrthod ateb cwestiwn, mae o wastad yn golygu 'na'.

Dydd Mercher, Awst 12fed

22.27

Newydd ddod yn ôl o dŷ Fflur. Ffoniodd hi ben bore 'ma, wedi ecseitio'n lân.

'Fi newydd gal £50 'da Yncl Jeff am fod yn ecstra. Ti'n cofio fe, nagyt ti?'

'Ym … nacdw.' Toedd fy mrên i ddim cweit yn gweithio ar ôl dwyawr o gwsg.

'Wyt! Yn y steddfod. Fe sy'n gneud y ddrama yn Llanfor.'

O, ia! Mr Sbectol. 'Cofio rwbeth, yndw. Gwranda, Fflur, ga i ffonio chdi'n ôl …?'

Ond toedd hi'm yn gwrando. 'Ta beth, so fe'n yncl go iawn, ma' fe jest yn gwitho 'da Dad. A ges i fod yn ferch wyllt o'dd yn dwyn o gaffi drwy'r dydd ddo', a ges i *dreadlocks* a phopeth. O'dd e'n cŵl! Ac o'n i'n meddwl licet ti ddod 'da fi i'r dre i wario.'

Toedd gen i'm mymryn o awydd, deud y gwir. 'Gwranda, Fflur, dwi'n sgint a . .'

'Dim probs. Dala i am bopeth. *Plis* der! A ma' Mam yn gweud der draw i swper wedi 'ny. Ni'n cael *Chinese*!'

Fel arfer, 'swn i'n gwerthu fy enaid am *sweet and sour pork*, ond dim heddiw.

'Dwi wir ddim yn teimlo'n dda sti, Fflur …'

'Plis, plis, *plis*! Dere. Fydd e'n sbort, fi'n addo. A falle neith wâc fach les.'

Roedd hi mor awyddus, roedd yn anodd gwrthod. A fuo hi *mor* glên wrtha i'n y steddfod. Toedd Mam ddim yn meindio – a nath hi hyd yn oed roi pres bws i mi a deud 'Cer di i enjoio dy hun'. Am eiliad, deimlish i'n euog am yr holl bethau dwi'n deud amdani, ond wedyn gofish i am newyddion ddoe. Roedd Heather yn fodlon cymryd H. gan fod yr haul wedi cilio. Pan esh i â hi draw, roedd Heather yn edrych fel darn o fara wedi'i dostio ar un ochr.

'Syrthio i gysgu yn yr haul,' medda hi, gan gipio Hayls druan. 'Pigo fyny chwech?'

Nesh i drio dechra egluro mai Mam fydda'n nôl Hayls, ond roedd y drws wedi clepian yn barod ar wyneb bach fy chwaer. Dwi wir yn meddwl dylia Mam ffeindio dynas gwarchod chwarter call. Alla Heather neud ti'n *depressed* jest wrth sbio arni hi.

Nesh i gyfarfod Fflur yn Caffi Ni. Roedd hynny'n teimlo 'chydig yn od gan mai lle Jo a Gaf a fi ydi o wedi bod. A deud y gwir, dyma Don Panad (fo sy bia'r lle) yn holi 'Lle ma'r rabsgaliwns gen'ti heddiw?'

Nesh i jyst gwenu a trio edrych fatha bod o'n ddirgelwch. Ofynnodd Don os o'n i'n teimlo'n olreit.

'Yndw. Pam?'

'Ti newydd roi pedwar siwgr yn dy de, a ti wastad yn gwrthod donyt achos bod ti'n *deud* bo' chdi ar ddeiet.'

'Dwi'n cael diwrnod off,' medda fi, yn sgidadlo o'no.

Roedd Fflur wedi yfed hanner ei phaned yn barod. 'Ollyngodd Mam fi wrth y lle bysys,' medda hi mewn eglurhad. 'O'dd Caron yn mynd i Gaerfyrddin – i weld Anest.'

Aeth saeth fach boeth drwy mol i. 'O. Ma' hi'n ôl o Batagonia 'ta?' medda fi, yn trio swnio mor normal â phosib.

Nodiodd Fflur. 'Fi'n credu bod e *wir* wedi methu hi.'

'Ty'd,' medda fi, 'awn ni.'

'Ond so ti wedi cael dy ddisgled di 'to …'

'Gormod o siwgr. Ac eniwê, dwi'n meddwl fod Don Paned yn trio *seduce-io* fi efo'i gacen wy.'

Naethon ni ddim llawer drwy'r pnawn 'blaw crwydro. Crwydro ydi hobi mwyaf poblogaidd *teenagers,* yndê?

129

Llusgo'u hunain o gwmpas y strydoedd yn y gobaith prin y digwyddith … *rwbath.*

Druan o Fflur. Roedd hi 'di ecseitio dwi'n meddwl, cael ffrind i rannu clecs a tips siopa efo hi, a nesh i drio ngora, ond ma'n anodd pan ma' dy feddwl di'n rhywle arall.

'Ti'n olreit, on'd wyt ti?' medda hi, tra oeddan ni'n trio *earrings.*

'Ydw … jest cur pen.'

'So ti'n … *bored* na dim?' Ro'n i'n gweld hi'n edrych arna i'n bryderus, ac yn brathu'i gwefus.

'Nac'dw *siŵr,*' medda fi wedyn, a rhoi mraich drwy'i braich hi. 'Ty'd, awn ni i drio lipstics yn Boots.'

Wrth i ni fynd o'r siop, ddudodd Fflur, 'Elli di weud *unrhyw beth* wrtha i, ti'n gwbod 'nny?' Dyma fi'n nodio, a deud dim.

A *wedyn*, wrth i ni fynd fraich ym mraich lawr Stryd Fawr, *pwy* welish i'n dod i'n cyfarfod ni ond Jo. Roedd Fflur yn siarad ffwl pelt ac yn chwilio yn ei bag am rwbath, wedyn nath hi mo'i gweld hi. Dyma Jo a fi jest yn sbio ar ein gilydd am 'chydig, a dyma Jo yn gneud pwynt o sbio ar ein breichia ni wedi lincio, fatha mod i wedi'i bradychu hi. Dynnish i mraich yn ôl yn hegar a gododd Fflur ei phen a sylwi ar Jo.

Naethon ni ddim ffraeo na dim. Roedd o'n od. Ofynnodd Jo os oeddan ni'n joio a nesh i ddeud bod ei gwallt hi'n ddel. *Mae* o hefyd. Ma' hi wedi cael strîcs gwahanol liwia ynddo fo, rhai caramel a mêl 'swn i'n ddeud. Ma' mam Jo yn dda efo hi am betha felly. Bob tro dwi'n gofyn i'r Fuhrer ma' hi'n deud 'i be sy isio potsian efo natur?' Dwi'n dadlau bod natur ar ei wylia pan gesh i ngeni, ond neith hi'm gwrando.

'Ar gyfer y cyfweliad mae o,' medda hi. Ma'n rhaid mod i wedi edrych yn ddryslyd achos ddudodd hi wedyn 'cyfweliad *y Sioe Dalent?*'

'O ia, wrth gwrs. Sut ma' petha'n mynd?'

Chwarddodd Jo ac ysgwyd ei phen, fatha mod i wedi gofyn cwestiwn hollol pathetig. 'Iawn,' medda hi. 'Eniwê, ma'n rhaid mi fynd,' a dyma hi'n dechra martsio lawr y stryd.

'Jo?' medda fi ar ei hôl hi. 'Ym … pob lwc efo'r cyfweliad. Gobeithio gei di drwodd.'

Am eiliad roedd o fel tasa hi'n mynd i ddeud rwbath, ond yn y diwedd gerddodd hi ffwrdd.

Ar y bws i dŷ Fflur ddudodd hi 'Nag'on i'n meddwl fod ei gwallt hi mor neis â 'nny'. Dwi'n gwbod mai trio bod yn driw i mi oedd hi, ond am ryw reswm o'n i'n teimlo'n flin efo hi. Ddudish i ddim byd yn ôl.

Dydd Iau, Awst 13eg

18.15

Dim byd newydd i riportio.

Nesh i ddim sôn wrth Anti T am Mam a 'Dach Chi'n Gwybod Be'. Dwi'n siŵr bod hi'n gwbod, ond rwsut ma' trafod y peth yn ei neud o'n fwy real. Er, roedd o'n teimlo'n real iawn bore 'ma achos glywish i sŵn chwydu'n dod o'r bathrwm. Wel, dyna be 'dach chi'n gael am focha pan 'dach chi'n hen ddynas, feddylish i.

Tydi Dad dal heb ffonio. Ma' Hayls yn gofyn amdano fo drwy'r amser, a dwi jest yn deud fod o'n helpu Yncl Kenny. Ddoe, welish i Nicky Bag o Nerves yn sbio wrth i mi adael y tŷ. Ma'n rhaid ei bod hi wedi saethu at y drws, achos y peth nesa glywish i oedd hi'n galw arna i. Esh i draw ati.

'Gweld bod y car ddim yna,' medda hi. 'Dy dad i ffwrdd, yndi?'

'Yndi. Gwaith. Efo Yncl Kenny.'

'O!' medda hi, a gwenu fatha bod hi'n gwybod yn well.

'Pryd fydd Vince adre'?' medda fi, i droi'r sgwrs.

Dyma hi'n blodeuo wedyn. 'Dydd Mawrth. Ben methu disgwyl. Na finna chwaith!' Winciodd hi arna i. 'Chênj cael twrw yn dod o tŷ *ni* yn bydd?'

Pam, o pam, na cha i nghodi o'r bywyd yma i rywle gwell? Ydw i'n cael 'y nghosbi am droseddau bodolaeth arall, 'ta be? Achos os ydw i, ma'n rhaid mod i 'di bod yn *andros* o hogan ddrwg.

Ta waeth, artaith arall ar y ffordd heno. Ma' Taylor yn gneud stint DJ yn y 'sbyty, a ma' Mam yn deud mod i'n gorfod mynd yno 'i ddangos cefnogaeth'. Wpiblincindw!

23.47

'Dan ni'n ôl! Deud y gwir roedd o'n olreit yn y diwedd, er

bod Taylor yn cwyno nad ydi'r byd (h.y. y Cartra Nyrsys lle roedd y disgo) yn gwerthfawrogi'i botensial o. Mae o'n dal wrthi ond benderfynodd Mam bod hi'n bryd gadael pan ddechreuodd rhai o'r nyrsys yfed peintia a dawnsio rownd polion! 'Nyrsys ydi'r gwaetha,' medda Mam gan dytian. Nesh i atgoffa hi mai nyrs ydi hi hefyd, a ddudodd hi 'Ia, ond dim ond *auxilliary.*' Fel tasa hynny'n gneud gwahaniaeth.

Dyma'r tro cynta i mi gyfarfod ffrindia newydd Mam, a nesh i synnu. Ma' lot ohonyn nhw'n *eitha* normal. Nesh i licio Bev a Meira'n arbennig. Ro'n i wedi meddwl falle bod nhw'n lot fengach a gwylltach na Mam, ac yn ddylanwad drwg, ond *actually* roeddan nhw'n eitha parchus, ac yn hen (yn bendant yn hŷn na 35). A'r peth synnodd fi *fwya* oedd eu bod nhw i gyd wrth eu bodd efo Mein Fuhrer.

'O, ma' dy fam yn *ges,*' medda Bev. 'Ma'n rhaid bod chi'n cael hwyl efo hi yn tŷ chi!'

O ydan. Ma' hi'n laff-y-funud *chez nous – not*!

'A pheth arall am dy fam,' medda Meira, 'ma' hi *wastad* yna os wyt ti mewn trybini. Neith hi'm gneud ffys, ond hi 'di'r *cynta* i sylwi pan ma' 'na rwbath yn bod!' Roedd Bev yn cytuno. 'Ysdi be, Sadie, ma' gen ti Fam a Thri Chwarter yn fan'na. Cymer di ofal ohoni hi rŵan.'

Nath o groesi fy meddwl i hwyrach fod Mam wedi talu actorion i ddod yna i ddeud petha neis amdani. Neu falla fod 'na drawsnewidiad yn digwydd yn y bocs ffôn lawr y lôn bob bore. Falle bod hi'n sbinio rownd a rownd a throi i mewn i SiwpyrGlen, ffrind y tlawd a'r truenus. Ma' 'na *rwbath* yn digwydd, yn bendant, achos tydi hi mo'r un ddynas yn tŷ ni. Y peth od oedd fod Mam *yn* wahanol heno. Roedd hi'n chwerthin a jocian, a chael hwyl. Roedd o fel tasa hi wedi ymlacio i gyd. Ddaliodd hi fy llygad ar un pwynt a gofyn os o'n i'n mwynhau. 'Yndw,' medda fi, er

133

mod i'n methu cweit coelio'r peth chwaith. Ac mi wenodd hi fel tasa hynny'n golygu lot fawr iddi. Od iawn, iawn.

Pan aethon ni i nôl Hayls o dŷ Anti Trace, canodd y ffôn. Ddo'th Anti T i mewn a gneud siâp 'Terry' efo'i cheg tra bod ei llaw dros y ffôn.

Gododd Mam wedyn a chymryd y ffôn oddi wrth A.T. a mynd i'r *hall* efo fo. Roedd hi'n siarad yn isel iawn felly chlywish i mo'r sgwrs. Daeth Mam yn ôl ymhen sbel a deud, 'Ma' dy Dad yn dod adre fory. Ty'd, Sadie, well i ni fynd.'

Oedd Anti T isio i ni aros am baned ond oedd Mam isio mynd. Dwi'n *meddwl* bod Anti T yn trio deud wrthi am newid ei meddwl. 'Pwylla,' medda hi yn y drws ffrynt wrth i ni fynd. A'r cwbl ddudodd Mam yn ôl oedd 'Dwi'n gwbod be dwi'n neud'.

Ma' gen i deimlad od am fory. Dwi'n teimlo fel oeddwn i'r noson cyn trio arholiad bale. O'n i'n gwbod y bydda fo'n wael ac y byddwn i'n edrych fel blymonj mawr pinc ar goesa, ond o'n i'n *gobeithio* mod i'n rong. Fel 'na'n union dwi'n teimlo heno.

Dydd Gwener, Awst 14eg

20.53

Ma' 'na rwbath od iawn wedi digwydd. Tydyn nhw ddim yn ffraeo! Byth er i Dad gyrraedd yn ôl tua amser te ma' 'na dawelwch llethol wedi disgyn dros y tŷ. Tydi hyn ddim yn normal, ddim yn tŷ ni. A tydi o ddim yn dawelwch braf chwaith: mae o fel llonyddwch cyn storm.

Drwy'r dydd dwi 'di bod ar bigau'r drain. Am y tro cynta yn fy mywyd dwi'n dallt be ma' hynna'n feddwl. Bod dy ben-ôl di'n cael ei bigo'n barhaus gan nodwyddau bach, a ti'n methu setlo. Es i a Hayls am dro i'r parc bore 'ma hyd yn oed, ond gaethon ni ffrae gan ryw foi am fwydo'r hwyaid.

'*Hwyaid* ydyn nhw. Ti *fod* i daflu bara atyn nhw. Bara stêl,' medda fi.

'Ond dim bara *gwyrdd*,' medda fo. *Roedd* o'n edrych yn eitha ffyri, rhaid cyfaddef, ond ers pryd ma' hwyaid yn ffysi? Be ma' nhw'n ddisgwyl? Jamie Oliver yn pobi ar eu cyfer nhw? Ddechreuon ni gerdded adre wedyn. Ges i tecst ar y ffor' gan Fflur yn gofyn os o'n i isio mynd i'r sinema, ond dwi'm 'di ateb. Nid mod i isio bod yn gas, ond mae o'n straen gorfod esgus bod popeth yn iawn drwy'r amser pan dydyn nhw ddim, a 'sgen i mo'r egni i siarad am y peth efo hi. Ella fasa petha'n wahanol tasa hi'n nabod y lŵns ers blynyddoedd, fel ma' Jo, ond ... A pheth arall, dwi ddim isio clywed hi'n sôn am yr Anhygoel Anest a chymaint ma' Caron yn ei hoffi hi chwaith. Hyn a hyn fedar fy nghyflwr meddwl delicet i ddiodda cyn i mi ddisgyn i bwll du lŵnrwydd (wedi'r cwbl, ma' 'na ddigon o hanes hynny yn y teulu).

Pan ddaeth Mam adre, roedd hi ar ddrygs (dim go iawn wrth gwrs, ond roedd yr effaith yn debyg). Llnau, llnau a mwy o llnau. Pam bod hi isio llnau i Dad? *I mean*, pa wahaniaeth neith hynny? Tydi o'm fel bod Pops yn mynd i ddod trwy'r drws a gwirioni arni hi oherwydd bod hi'n wyndyr efo mop a bleach, nac'di? Fflip, gobeithio ddim!!

Nath o ddim gwirioni o gwbl. Roedd o jest yn dawel, dawel. Roedd Yncl K. a'r ddwy Brym yn y fan, a ddaethon nhw ddim i mewn, jyst canu corn a mynd. Safodd Dad yn stond yn y lôn am 'chydig bach. Ro'n i'n sbio arno fo o ffenast llofft ffrynt, a dyma fi'n codi llaw, ond nath o ddim sylwi. Yna daeth Mam allan ato fo, a safodd y ddau yna wedyn. Toeddan nhw ddim yn deud lot. Yn y diwedd ddaethon nhw i'r tŷ.

Naethon ni i gyd drio gwneud ffys ohono fo (wel, blaw Taylor nath lwyddo i ddeud 'Olreit Pa?' cyn i'r Playstation ei dynnu o'n ôl i'w fyd dronglyd). Roedd Mam yn siarad mewn llais joli iawn, iawn ac yn gneud te. Nesh i roi sws mawr a chwtsh iddo fo, a dyma fo'n sibrwd yn fy nghlust i, 'Ydi dy fam yn iawn?' Nesh i nodio'n reit ffyrnig, rhag bod o'n mynd i boeni. Yn rhy ffyrnig, dwi'n meddwl, achos ges i gur pen wedyn, a dyna pam dwi'n gorwedd yma ar fy ngwely rŵan.

Ma' petha'n dal i fod yn dawel lawr grisia, ond am faint parith hynna? Mater o amser cyn i'r pw daro'r ffan yn reit galed, dwi'n meddwl.

Dydd Sadwrn Awst 15fed

11.40

Newydd ddeffro ar ôl noson stormus neithiwr. Ddudish i, do? Dechreuodd y mellt a'r taranau (trosiadol, *obviously*) tua 2 o'r gloch bore 'ma. Dwi'n meddwl fod hyn yn arbennig o hunanol. Os oes raid iddyn nhw ffraeo, pam na fasan nhw'n gneud yn ystod oriau cymdeithasol, yn lle 'u bod nhw'n udo fel banshis yn ganol nos? Ma'n ddigon i roi hartan i bobl. O'n i'n hanner disgwyl gweld ambiwlans yn cyrraedd drws nesa i dendio ar Nicky.

Roedd Rownd Un yn y llofft yn eitha dof. Nesh i drio anwybyddu'r peth a mynd nôl i gysgu, ond pan glywish i ddrws yn clepian a sŵn stampio traed ar y grisia, roedd hi'n amlwg na fasa hi'n *knock-out* sydyn. Glywish i Taylor yn codi i roi ei fiwsig 'mlaen. Dyna mae o'n tueddu i neud ar adegau fel hyn, sydd ddim yn deg iawn, gan fod y bwmbwmio ond yn ychwanegu at y twrw. Ond waeth i fi heb. Ma' unrhyw ymdrechion ar fy rhan i drafod fy rhieni hefo Taylor wedi bod yn fethiant llwyr; y cwbl mae o'n ddeud ydi 'Mae o fyny iddyn nhw, laic.' Dwi'n gyfan gwbl ar ben fy hun ar nosweithiau fel neithiwr. Dyna'r peth. Pan ma' dy fam a dy dad yn *chwarter* call, ti'n gwbod fod 'na wastad *rywun* yn y byd neith helpu, be bynnag ydi'r broblem. Ond be sy'n digwydd os mai nhw *ydi'r* broblem?

Erbyn 3.12 (edrychish i ar gloc pinc Jo) ro'n i'n gwbod na faswn i'n cysgu, felly esh i i lawr grisia. Yn y gegin oeddan nhw.

'Be wyt ti'n da ar dy draed?' holodd Mam.

'Methu cysgu. A tybed pam?!' medda fi'n ôl. Am stiwpid o gwestiwn.

'Tydi o'm byd i ti boeni amdano fo, Plwmsan,' medda Pops. 'Ma' dy fam a finna'n trafod petha, dyna'r cwbl.'

Trafod? Trafod!!!! 'Fasa 'na lai o sŵn tasach chi'n gollwng bom atomig,' medda fi.

Aeth petha'n dawel am 'chydig. Roedd Mam yn ffidlan efo'r tegell a Dad yn sbio ar y llawr. 'Pam na fedrwch chi'ch dau sortio petha?' medda fi. ''Dach chi *fod* yn oedolion. Hy!' Ro'n i'n teimlo fy llygaid yn dechrau gollwng, a driodd Pops roi ei fraich amdana i.

'Na!' medda fi a'i wthio fo oddi wrtha i. 'A 'dach chi'n ymddwyn fel plant! Tydach chi'm *ffit* i fod yn rhieni! A rŵan 'dach chi'n cael babi *arall*! Ma' isio sbio'ch penna chi! Dwi'n mynd i ffonio *Childline* i gwyno …'

Roedd Dad wedi mynd yn llonydd iawn. 'Wyt ti 'di … deud … wrth *Sadie*?' medda fo'n dawel.

Rhwbiodd Mam ei llaw dros ei thalcen. 'Ma' hi'n ddigon hen i gael gwbod,' medda hi, ond roedd hi'n edrych 'chydig yn euog.

Wedyn aeth Dad yn *hollol boncyrs bost*! Ddudodd o bod gan Mam ddim hawl i siarad efo fi cyn iddyn nhw drafod, a bod ganddi hi ddim parch i'w farn o, a'i bod hi'n ei drin o fel un o'r plant. Wedyn ddudodd Mam nad oedd 'na ryfedd, pan oedd o'n ymddwyn fel plentyn, yn rhedeg i ffwrdd am wythnos heb ddeud gair. Ddudodd Dad bod rhaid iddo fo fynd o'r tŷ achos bod hi'n ei yrru fo'n wallgo. A ddudodd Mam bod hi'n falch bod o 'di mynd iddi gael llonydd. A wedyn ddudodd Dad fod o 'di cael amser ffantastig.

'Jyst … *Caewch Eich Cega! Plis!!!*' waeddish i yn y llais mawr yma ddaeth o rywle. Deud y gwir, toedd o ddim yn swnio fel fy llais i o gwbl. Stopiodd y ffrae ping-pong wedyn.

'Cer i dy wely, pwt,' medda Mam, yn eitha annwyl, *iddi hi*. 'Ddyliat ti ddim fod yma i glywed hyn.'

'Pam lai?' medda Dad. 'Roeddat ti'n ddigon bodlon iddi hi glywad petha *eraill*, yn doeddat? *Plentyn* ydi hi, Glen!'

Teenager, *actually,* Dad, ond toedd gen i'm mynadd dadlau yr adeg yna o'r nos. Esh i i nôl diod o lefrith, a mynd i ngwely. Wrth i mi ddringo'r grisia, ro'n i'n clywed y ffrae yn ailgydio'n araf. O bell, roedd hi'n swnio fel dwy iâr yn clwcian dros chydig o ŷd.

Ma' popeth yn dawel bore 'ma hyd yma, ond dwi'm 'di mentro'n bellach na fy llofft. Pwy ŵyr be sy'n fy wynebu i heibio i'r drws?

14.38

Aeth Pops allan tua hanner awr yn ôl. Glywish i o'n sibrwd siarad ar y ffôn yn yr *hall*. Beryg bod o yn y *Ship* rŵan, yn damio merched efo Yncl Kenny. Ma' Mam wedi mynd i brynu plynjyr newydd. Ma' hi'n *deud* mai ar gyfer y sinc mae o, ond ar ôl perfformiad ddoe, faswn i'n ofalus, taswn i'n Pops. Dwi'n meddwl yr a' i i ailddechra ar *Operation Sadie.* Galla i loncian 'chydig tra'n cysidro sut basa fy mywyd yn newid taswn i'n blentyn amddifad …

21.01

Dad ddim yn ôl, Hayley'n peintio Elfis yn biws efo'i phaent poster a Mam lawr grisia'n snwfflan wrth wylio *Casualty.* Diwrnod normal arall yn nhŷ'r Jonesiaid, felly. Dwi'n meddwl fod o'n beth da bod Mam yn gwylio *Casualty.* Ma' hi wastad yn deud bod nhw'n ei roi o'n syth ar ôl y Lotto fel bod pobl ddim yn teimlo'n ddrwg nad ydyn nhw wedi ennill miliynau. Er enghraifft, ella *bod* ti'n dlawd, ond o leia ti heb gael dy lectriciwtio mewn damwain ac yn deffro wedyn dim ond i ddarganfod fod dy ŵr wedi priodi rhywun arall a dy fab yn cymryd drygs. Ma'n rhoi petha mewn perspectif, tydi? Neu o leia, dyna ydi'r nod.

Roedd fy ymdrech i ailddechrau bod yn iach yn aflwyddiannus. Nesh i loncian tua tri cham cyn mynd yn

bored a phrynu paced o grisps a Kit-Kat yn lle. Wel, dwi'n
dioddef o fod yn rhan o Deulu Mewn Trawma. Tydi o ond
i'w ddisgwyl mod i'n ffeindio cysur mewn danteithion
melys. Gwely cynnar, dwi'n meddwl, tra bod 'na dawelwch
i'w gael.

Dydd Sul, Awst 16eg

12.01

Gysgodd Dad ar y soffa neithiwr. Ddim yn arwydd da, ond o leia ddo'th o adre. Ar hyn o bryd ma' M a D wrthi'n cael 'sgwrs'. Dwi'n amau'i bod hi'n fwy o gynhadledd creisis fy hun. Ma' nhw wedi cerdded rownd a rownd yr ardd tua 67 o weithiau, a tydyn nhw ddim wedi tagu'i gilydd na thynnu gwn allan hyd yma. Glywish i Mam yn crybwyll *Relate* bore 'ma (nhw 'di'r rhai sy'n trio helpu pobl sy'n methu sortio'u perthynas allan). Mae arna i ofn mod i'n meddwl fod petha wedi mynd yn llawer rhy bell i *Mère* a *Père*. W, *hold on*, ma' 'na ddatblygiadau. Ma' nhw'n dod nôl i'r tŷ. *'Byddaf yn eich diweddaru yr eiliad y bydd 'na fwy o fanylion. Sadie Jones, Ffenest Llofft, Llanfor. Rŵan nôl atoch chi yn y stiwdio, Huw…'*

14.15 .

'Dan ni'n mynd i *Aberystwyth*! I *GAMPIO*!! Dyma syniad Pops o sut i achub ei briodas! Ffor-fflip-fflop's-sêc, ydi'r dyn yn hollol dwlál? Yn ôl *mon père,* ma' mynd i ffwrdd 'fel teulu' jest be 'dan ni angen. Ond i dre glan môr yng nghanol *nunlle*, a chysgu dan damaid o *neilon*? Sa waeth iddyn nhw ddeud 'difôrs' a dechrau'r cwffio *custody* rŵan ddim. 'Dan ni'n mynd y penwythnos nesa, ma' Dad wedi bwcio'n barod. Ma' ganddo fo 'fêt' lawr yna, medda fo, a 'dan ni'n cael mynd am hanner pris. Rhamantus iawn … *not*.

Es i â fo i gornel dywyll, rhag ofn mai'r haul oedd wedi ffrio hynny o gelloedd oedd ganddo fo yn ei frêns. 'Dad,' medda fi'n bwyllog, 'tydi hyn ddim yn mynd i helpu. 'Dach chi a Mam angen penwythnos ym Mharis fatha'r *advert* 'na, i chi gael ailddarganfod … be bynnag nath neud i chi ffansïo'ch gilydd yn y lle cynta.'

141

'Na, Sadie. Y *teulu* sy wedi mynd yn ffliwt. Mewn undod mae nerth!'

Mewn undod mae gwir beryg o lofruddiaeth. 'Nenwedig os ydi Taylor yn dod.

Yr unig leinin arian yn y cwmwl yma ydi fod Mam a Dad Munster yn edrych yn hapusach nag y buon nhw. Ma'n bosib mai effaith tabledi lŵnaidd ydi o, ond o leia ma'r tŷ'n llai tebyg i Beirut ar ddiwrnod gwael.

16.23

Driish i gael y Fuhrer i weld sens drwy 'i pherswadio hi y gallan ni fel teulu, *efo'n gilydd*, fod yn broblem iechyd a diogelwch. Ma' 'na rai teuluoedd sy'n gneud *popeth* efo'i gilydd, toes? Ma' nhw'n gwisgo jympyrs Aran sy'n matsio ac yn cerdded yn y parc efo'r ci, a chwerthin lot ar wyliau beicio yn yr Almaen. Dwi'n gwbod fod hyn yn wir achos ti'n eu gweld nhw ar y teledu. Ma' 'na elfennau o hynny yn nheulu Jo ac yn nheulu Fflur, ond ddim yn 'yn teulu ni. Waeth i ni fod yn onest ddim. Tydan ni'm yn *licio'n* gilydd. Dim ond trwy ddamwain ofnadwy, neu dric gwael gan y Bod Mawr, ydan ni'n perthyn o gwbl. Mi ddefnyddish i fy sgiliau gwleidyddol/gohebol newydd i egluro hyn wrth Ma ond, am unwaith, roedd hi'n cytuno hefo Pops.

''Dan ni'n *deulu*, Sadie, licio fo neu beidio. Hwyrach tasat ti ddim mor brysur yn pwdu ac yn meddwl fod pawb sy'n hŷn na 15 yn "lŵns", chwedl chditha, 'sa ti'n mwynhau.'

'Ie. Reit. A ma' 'na fochyn bach newydd fflio heibio'r ffenest,' medda fi yn ffraeth i gyd.

Toedd Mam ddim yn gweld y jôc. Dyma hi'n ochneidio, fel taswn i'n rhywun anodd iawn ei thrin. 'Sadie, ma' dy dad a finna'n trio'n galed iawn i achub petha, ysdi. Fasan ni'n gwerthfawrogi mymryn o gefnogaeth gen ti.'

142

'Pam na fasach chi'n dewis rhywle fel Sbaen, 'ta? Neu Wlad Groeg? *I mean*, tasa pethau'n mynd o chwith yn fan'no, o leia fasa gan bawb liw haul.'

'Achos tydw i'm yn graig o arian, madam.'

'Wel, fydd 'na lai fyth o arian ganddoch chi os 'dach chi'n gorfod prynu clytiau babi bob munud,' medda fi.

Aeth hi'n dawel am eiliad, a nesh i fachu ar fy nghyfle. 'Ewch chi. Mi a' i at Fflur i aros neu rwbath. Gostith lai i chi wedyn.'

'Sadie! Rwyt ti'n dŵad efo ni, a dyna fo.'

'Ond *pam*?'

'Achos bo' fi'n *deud*!'

A dyna hi, yr un llinell ma' rhieni'n ei defnyddio pan ma' nhw'n despret. Y linell sy'n gneud i chdi hyffian a stampio dy ffordd i'r llofft mewn protest. Achos toes 'na'm ateb iddi hi, nagoes?

16.40

A pheth arall. Ma' *Miri Awst* ddydd Sul nesa ym Mharc y Llan. A ma' 'na *sôn* fod *Recs Ffactor* yn mynd i fod yn chwarae yno. *Fedra* i'm colli hynna. Dwi'n mynd i brotestio, dwi'n mynd i gloi fy hun yn fy stafell heb fwyd na diod nes ma' nhw'n ildio.

19.12

Bored efo protestio rŵan. Naethon nhw ddim hyd yn oed sylwi mod i'n protestio, a beth bynnag, dwi'n llwgu. Dwi am fynd i neud brechdan gaws a *salad cream*, a meddwl am gynllwyn i stopio'r lŵnrwydd diweddara 'ma. Nôl fory efo'r manylion …!!

143

Dydd Llun, Awst 17eg

19.20

Dim cynllun hyd yma, ond ma' 'na rwbath yn siŵr o nharo fi'n fuan. Yn y cyfamser, ma'r teulu Munsters yn crwydro rownd y tŷ yn edrych *mor* ddigalon am y gwyliau dan sylw, 'swn i'n deud y bydd y gwirionbeth o syniad wedi'i gladdu erbyn … www … pnawn dydd Mercher? Rydw i *mor* sicr o mhetha tydw i ddim wedi rhoi fy nillad gwyliau yn 'Wash Gwyliau Mam'. Cynllun bananas arall ydi hwn sy'n troi o gwmpas golchi a smwddio *pob un* dilledyn cyn iddo gael lle yn y cês gwyliau, hyd yn oed os ydi o'n berffaith lân yn barod! Lŵnrwydd ar ei waethaf!

Bore 'ma, ar ôl i'r Fuhrer fynd i'w gwaith, esh i allan at Pops yn yr ardd. Roedd o'n ysgwyd ei ben ar y rhododendryns. Glywish i o'n deud wrthyn nhw, yn ddistaw bach 'Sut ddoth hi i hyn, y?' Tydi o ddim yn arwydd da pan ma' dy dad yn dechra siarad efo blodau. Sbia ar Prins Charles, er enghraifft. Esh i ato fo (at Dad – nid Prins Charles!).

'Iawn, Pops?'

'Yndw i, Plwmsan.' Gwasgodd wên hysbýs-past-dannedd ar ei wyneb, ond toedd hi'm yn edrych yn gyfforddus yno. 'Twyt ti'm yn mynd i weithio at Anti Trace heddiw?'

'Pnawn 'ma.'

Nodiodd 'i ben fel tasa hynny'n ffaith bwysig, er mod i'n gallu deud bod 'i feddwl o'n rwla arall.

'Am y busnes Aberystwyth 'ma …' medda fi, yn gweld cyfle. 'Toes 'na'm *rhaid* i chi fynd. 'Dan ni'n gwbod mai Mam sy'n eich gorfodi chi …'

'Fy syniad *i* oedd o, Sadie.'

'Ie, *reit*! Y *hi* sy isio i bawb ddiodde, jest oherwydd bod hi'n ddigon sdiwpid i fod yn disgwyl!'

Edrychodd Dad yn anesmwyth, fel tasa fo'n meddwl yr un peth ond yn methu'i ddeud o. Felly nesh i gario mlaen. 'Dwi *yn* dallt, Dad. Ma' hi'n bwlio fi hefyd. Ond 'dan ni'ch *angen* chi. Fi a Hayley a …' O'n i'n mynd i ddeud Taylor hefyd, ond yr unig beth mae o angen ydi Trance Metal Marwol, wedyn nesh i ddim.

Nath llygaid Dad sgleinio am eiliad, ond wedyn dyma fo'n mynd yn goch, a gweiddi'n wyllt, 'Nacdach! Tydach chi *ddim* angen fi. Tydach chi *ddim*!' fel tasa fo'n trio perswadio'i hun. Droish i nôl am y tŷ, ond waeddodd o ar fy ôl i wedyn, 'Fy syniad *i* ydi'r gwyliau 'ma, Sadie. Fi. Fi sy'n mynnu'n bod ni'n mynd, a ma' dy fam yn trio'i gorau i nghyfarfod i hanner ffordd. Fasa hi'n neis tasat titha'n trio gneud yr un peth. Jest am *unwaith*!'

Gesh i gymaint o sioc nesh i faglu dros Elfis oedd yn gorwedd fel mat wrth ymyl y drws cefn. Landish i wrth draed Taylor oedd ar siwrne gynta'r dydd i wagio'r ffrij. 'Toes 'na'm rhaid i ti *bowio*, sis,' medda fo.

Ar y bws i'r gwaith, gesh i gyfle i 'styried y peth, a tydi o ddim yn gneud sens. Sut ellith Pops, *o bawb,* amddiffyn y Fuhrer pan mae *o'n* ffraeo efo hi yn fwy na neb? *I mean*, dwi ar ei *ochr o*! Dwi'n teimlo fod o'n annheg iawn ohono fo i golli'i dempar efo fi pan dwi'n trio dangos cefnogaeth iddo fo. Mewn undeb mae nerth, dyna ddudodd Dad ddoe. Ro'n i jyst yn meddwl na fedri di ddibynnu ar neb 'blaw ti dy hun, pan glywish i'r hen gronc yn y sêt drws nesa i mi yn deud 'Ti'n iawn, ngenath i, ond sgiwsia fi, dyma'n stop i!'

Ma' rhaid mod i 'di bod yn siarad yn uchel heb sylwi! Dwi'n amlwg yn diodde o'r peth trawma *stress* 'na mae sowldiwrs yn 'i gael. Yn anffodus, erbyn i Hen Gronc gyrraedd y drws roedd y bws yn dechra hercian ei ffordd ymlaen a laniodd o yng nghôl clamp o ddynes fawr dew. Dyma fo'n edrych arna i yn gyhuddgar, ac yn ysgwyd ei ben.

'Ma'n olreit,' medda fi. 'Tydw i'm yn hwligan.' Ond roedd o wedi neidio odd'ar y bws yn barod, ac yn pegio hi mor gyflym ag y medar Hen Gronc i lawr y lôn.

Roedd newyddion mawr gan Ange, yn y siop. Tydi hi a Gary heb ffraeo ers wthnos gron! Ma' hi'n gobeithio'i hudo fo i Gaer dros y penwythnos achos ma'r tymor ffwtbol yn cychwyn wedyn, ac ma' Sadyrnau Gary'n cael eu rheoli gan ei *wir* gariad, sef *Brynmor United F.C.* Ma' Ange yn fferru ar ochr y cae yn aml er mwyn cael y fraint o'i wylio fo'n cwtsho'i ffrindiau pan ma' nhw'n sgorio. Dwi'n meddwl ei bod hi'n ffŵl fy hun: *I mean*, ma' *pawb* yn gwbod fod rhaid i chdi actio'n cŵl pan ma' gen ti gariad. Waeth ti heb ag ymddangos yn rhy *keen* neu neith o redeg milltir. Am hynny o'n i'n meddwl pan ddaeth Fflur i mewn i'r siop.

'Haia! O'n i'n dre ag o'n i'n meddwl weden hi helô!' Roedd hi'n edrych yn ansicr braidd.

'O, hai. Aros eiliad …' medda fi. Ro'n i'n trio gwisgo un o'r *mannequins* mewn shryg (fatha cardigan 'di shrincio efo llewys bach, i'r rhai ohonoch chi sy ddim yn dallt ffasiwn!). Yn anffodus, roedd y *mannequin* wedi ennill pwysau a to'n i'n methu cael y shryg rownd ei sgwydda hi. Yn y diwedd roedd 'na andros o sŵn rhwygo, a phan edrychish i roedd 'na dwll mawr o dan un gesail.

'Jest … cer am baned i'r cefn am chwarter awr. O'r ffordd,' medda Anti T.

Dim ond un cwpan glân oedd 'na, felly nesh i a Fflur ei rhannu yn y gegin.

'Ges di'n tecst i?' gofynnodd Fflur. Ro'n i'n cael y teimlad bod hi'n trio swnio'n ddi-hid.

'Do. Gwranda, sori am beidio ateb. Ma' … wel … jest ma' lot yn digwydd yn tŷ ni ar hyn o bryd.'

Gododd hi ei sgwyddau. 'S'dim gwahanieth. Paid â becso.'

146

'Faswn i'n sôn wrthat ti ond …'

Gododd hi ei llaw i'n stopio fi. 'Wir. Sdim problem!'

To'n i'm wir yn ei chredu hi, ond be fedrwn i neud? Deud wrthi 'Fflur, ma' nheulu fi'n rybish, ma' nhw'n ffraeo drwy'r amser, a dwi'n ofni bod Dad yn mynd i adael. Ar ben hynny ma' Mam, sy'n *antique*, yn disgwyl babi …' Ai dyna ddyliwn i ddeud?

Nesh i newid y pwnc. 'Sut 'dach chi'n setlo yn y tŷ?'

'Olreit. Fi'n mynd i beintio fy stafell i fory. Ti moyn helpu?'

'Ia, ym … iawn.'

'Sdim raid i ti, os nag yt ti moyn …'

'Na, sa hynna'n grêt!' Fasa fo'n gyfle i ddianc o'r sw, o leia.

Glywish i lais Anti T yn fy ngalw i nôl i'r siop wedyn. 'Ma'n well i mi fynd,' medda fi.

Cododd Fflur efo fi. 'Der draw byti un ar ddeg? Ma' lot o beintio 'da ni i neud!' medda hi. Ac yna, yn gwbl ffwrdd-â-hi wrth fynd: 'W, gyda llaw. Sa i'n credu bod pethe wedi mynd yn dda iawn i Caron. 'Da Anest wy'n meddwl. Wy'n *credu* bod nhw wedi bennu. Rhag ofan i ti weud y peth anghywir 'tho fe fory.' Ac i ffwr' â hi.

O'n i'n gwenu ar gwsmeriaid am weddill y pnawn. Nesh i ddim sylwi ar hyn nes i Petra ddod i mewn. Ma' hi'n canu mewn clybiau a ballu bob penwythnos, ac ma' Anti T yn deud bod hi'n anobeithiol. Yn anffodus, ma' Petra'n meddwl fod ganddi 'ddyfodol' ac ma' hi'n dod i mewn i *Macsi*'n aml i wasgu'i hun i mewn i rhyw dop bach sgleiniog. Heddiw, roedd hi'n dychwelyd pâr o sandals sodla uchel.

'… a tase'r sawdl heb falu *jest* fel o'n i'n gneud y sbin ola, dwi'n *siŵr* y baswn i wedi mynd drwodd i'r rownd nesa! Gyda llaw, dwi'n siŵr bod 'na hogan yno sy'n

147

ffrindiau efo chdi.'

'Yn lle?'

Tytiodd Petra. 'Yn y cyfweliad! Ar gyfer y *Sioe Dalent*! … Tracy, lle *wyt* ti'n cael y staff 'ma?'

Jo! Wrth gwrs! 'Jo oedd 'i henw hi?' medda fi'n eiddgar. 'Aeth hi drwodd?'

'Dwn i ddim, wir …' medda Petra, a sniffio'n uchel cyn mynd am y drws.

''Swn i'n deud bod Jo wedi gneud yn eitha da, yn ôl ymateb mileidi,' medda Anti T. 'Pam na nei di roi galwad iddi hi?'

'Na, dwi'm yn meddwl,' medda fi. 'Heno ella.'

Tydi Anti T ddim yn wirion, a dwi'n siŵr bod hi 'di sylwi nad ydw i wedi sôn am Jo yn ddiweddar. Y cwbl ddudodd hi oedd, '*Hen* ffrindiau'n bwysig, cofia.'

Agorish i ngheg i ateb, ond roedd 'na ormod o waith egluro, wedyn gaeish i hi'n glep a mynd i drefnu'r trwsusau *pinstripe* yn ôl maint a hyd.

Pan ddoish i adre gynna, roedd y tŷ'n dawel. Roedd Mam yn ista'n y gegin, yn plethu'i dwylo rownd paned.

''Dach chi'm yn mynd allan efo'r genod heno?' medda fi.

Dyma hi'n ochneidio ac yna'n ysgwyd ei phen.

'Lle ma' Dad a Hayley?'

'Aeth Hayley draw i dŷ y ddwy Miss Rees. Oedd rhaid i Dad fynd i helpu Kenny efo rwbath ar frys.' Dyma hi'n syllu i mewn i'w phaned fel tasa hi'n belen risial. 'Medda *fo*!' mwmiodd hi wedyn.

Benderfynish i anwybyddu hynna. ''Dach chi'n gneud swper?' ofynnish i'n obeithiol.

'Fawr o bwynt, a neb yma i'w fwyta fo,' medda hi.

'Dwi yma!' medda fi, ond toedd hi'm yn gwrando.

'Cer i nôl chips, yli, a gei di gasglu Hayls 'run ffordd.'

Dwi am stopio sgwennu rŵan gan fod gen i lwyth o waith pincio i neud cyn fy nhrip i dŷ Fflur fory. Nid mod i'n codi ngobeithion am Caron na dim, ond ddyliat ti wastad edrych dy orau, jest rhag ofn …

Dydd Mawrth Awst 18fed

21.48

Ma' heddiw wedi bod yn ddiwrnod … od. Ia, dyna'r gair!
Mae o fatha bod y Bod Mawr yn trio gyrru llwyth o
negeseuon seicic i mi, ond dwi'm cweit yn eu dallt nhw.
Hwyrach mod i'n suddo i dwlalrwydd oherwydd prinder
cwsg a phoendod cyffredinol.

Roedd Pops yn hwyr iawn yn cyrraedd adre neithiwr,
ma'n rhaid. Chlywish i mono fo, ac ro'n i wrthi'n sgrwbio
ac yn gwynwy-masgio a phlicio fy aeliau tan ymhell wedi
hanner nos.

Roedd hi fel Gwlad yr Iâ yn y gegin bore 'ma, o ran yr
awyrgylch. Pops yn gneud brecwast i bawb – bacwn, wya a'r
wyrcs – ac roedd wyneb Mam yn wyrdd fel cawl pys. Dwi'n
meddwl ei bod hi wedi bod yn sâl eto.

'Oes *raid* i ti?' gofynnodd hi'n dawel wrth Dad.

'O'n i jest yn trio … helpu!' medda fo, ond ro'th Mam
olwg fatha 'i bod hi'n gwbod yn well.

Yn y diwedd, ro'n i jest isio dod o'no, felly dyma fi'n
cydio yn Hayls a chychwyn am dŷ Heather. Roedd Dad
wedi addo gneud joban weirio yn dre i rywun a fedra fo mo'i
gwarchod hi.

Ar y ffordd, basion ni dŷ'r Ddwy Nodwydd a dechreuodd
Hayls gael strancs isio mynd i mewn. Pan welodd hi 'Anti
Ei'lys' yn y drws, redodd hi ati mewn llawenydd mawr. Er
mod i'n trio egluro bod rhaid i ni gyrraedd tŷ Heather, roedd
hi'n mynnu'n bod ni'n mynd i mewn am ddiod oer a dyn
sinsir.

Dwi rioed wedi bod i mewn yn eu tŷ nhw o'r blaen. Ro'n
i'n hanner disgwyl i bopeth fod yn llwyd a gwlanog, ond
toedd o ddim. Roedd ambell beth neis ganddyn nhw, fatha
lluniau celf modern ar y waliau, a hyd yn oed clamp o

150

deledu arian modern efo coesa. Ma'n rhaid mod i'n syllu arno fo oherwydd ddudodd Nodwydd, 'Wyt ti isio gwylio rwbath? 'Dan ni newydd gael lloeren, cofia. MTV a phopeth!'

'Ond i be? 'Dach chi'n *ancient*!' medda fi, cyn i mi allu stopio'n hun.

'*Ma*' 'na raglenni ar hwn i bobl *ancient* hyd yn oed, Sadie!' medda hi, gan wincio arna i.

'Sori,' medda fi, a dechra pigo ngwinedd.

Pan ofynnish i wrth Nodwydd sut landiodd Hayley yna ddoe, edrychodd hi fymryn yn annifyr.

'Wel. Mynd ag amlenni NSPCC o ddrws i ddrws o'n i,' medda hi. 'Roedd gan dy dad ymwelwyr … a, wel … ofynnodd o faswn i'n mynd â Hayley.'

'Yncl Kenny oedd yn ei fwydro fo beryg, ie?' Lyncish i goes olaf y dyn bach sinsir, a theimlo fymryn fel cannibal.

'Ia, roedd o yno, oedd,' medda N1. Roedd hi fel tasa hi'n mynd i ddeud rwbath arall wedyn, ond oedd Hayls yn mwydro 'i bod hi isio gwatsiad 'Beebies ar teli Anti Ei'lys'.

'Ddim heddiw pwt,' medda fi, a chodi i fynd.

'Galwch eto!' medda Nodwydd yn y drws. 'Ma' gen i feddwl y byd o'r un fach 'ma.' Ac yn sydyn, dyma fi'n ffeindio fy hun yn deud 'Diolch, mi nawn ni,' a golygu pob gair. *Weird,* 'de?

Roedd Fflur wedi cychwyn ar y peintio erbyn i mi gyrraedd. Ro'n i wedi gwisgo dyngarîs, fest binc a chap mawr pinc ar gyfer yr achlysur. W, a trainers suede pinc hefyd.

'Ti'n edrych yn grêt!' medda Fflur.

'Diolch … Ym … dim ond ti sy 'ma?' medda fi'n ofalus.

'Ie. Ma' 'da Dad gyfarfod, a ma' 'da Mami gyfweliad. Yn yr ysgol!' ychwanegodd gan grychu'i thrwyn.

'Ma' dy fam yn … mynd i ddysgu'n ysgol *ni?*' Ro'n i

mewn sioc.

'Ofnadw 'ndyw e? Ma' hi'n dysgu Saesneg. Wel, a Chymraeg weithiau.'

'Ond … ti'm yn meindio? *I mean*, fydd hi'n dysgu *chdi*!'

'Wy *wedi* gofyn wrthi beidio, ond 'na'r unig swydd sy ar gael ar hyn o bryd, gan ei bod hi mor agos at ddechre tymor.'

'Paid atgoffa fi!' medda fi, a dyma'r ddwy ohonan ni'n griddfan fel tasan ni wedi dal yr aflwydd mwya ofnadwy.

'Ella cheith hi mo'r job,' medda fi wedyn, ond sgydwodd Fflur ei phen.

'Pan ma' Mami moyn rhywbeth, ma' Mami'n ei ga'l e!' medda hi.

'Swnio fel y Fuhrer,' medda fi. Edrychodd Fflur yn ddryslyd. 'Mam,' eglurish i.

'So ti'n dod mlaen 'da hi 'te?'

'Wel … ym …'

'Licen i tasen i'n fwy tebyg i Mami. Cryf, fel … Jyst bod e'n *embarrassing* cael hi yn yr ysgol, ti'n gwybod. A fi ofan bod …' Stopiodd hi'n stond wedyn.

'Ofn be?' medda fi, yn anwylach, achos ro'n i'n gweld bod y brwsh paent yn crynu yn ei llaw hi, fel tasa 'na gorwynt yn chwythu drw'r stafell.

'Fi ofan i'r bwlian ddechre 'to,' medda hi'n araf.

'Neith o ddim, *siŵr*,' medda fi, mewn llais oedd lawer fwy sicr nag o'n i'n deimlo tu mewn.

Garion ni mlaen i beintio wedyn. Roedd Fflur wedi dewis lliwiau niwtral: bambŵ a hufen, ac un wal werdd. Roedd o fymryn yn boring, deud y gwir, ond mae Ff. yn deud nad ydi hi'n cael gneud dim byd ecseiting iawn oherwydd mai rhentu maen nhw.

'Ydi … ym … Caron yn mynd i beintio'i stafell o hefyd?' medda fi, yn ysgafn.

152

'Sa' i'n gwbod,' medda Fflur, 'ond ma' fe wedi addo helpu pan ddaw e'n ôl. Ma' Wncl Jeff yn 'i ddysgu fe i whare golff bore 'ma. Ti'n cofio Wncl Jeff, on'dwyt ti?'

'Yndw.' Jest gobeithio bod o'm yn cofio fi, feddylish i …

Tua chwarter i un, ddaeth 'na sŵn injan lawr y lôn fach i dŷ Fflur, ac ymddangosodd y *sports car* glas yma o flaen y tŷ gyda sŵn y stereo'n taranu. Aethon ni lawr i ddeud helô.

'Miss Llanfor!' medda Yncl Jeff yn clicio'i dafod, a phwyntio ata fi. 'Dwi'm 'di anghofio amdanat ti. Fydda i ar y ffôn unwaith ddechreuwn ni Pre. Prod. ar *Sneb yn Dallt*.'

To'n *i'm* yn dallt, ma' hynny'n sicr. 'Sa waeth 'sa fo'n siarad Lladin ddim. Taniodd o'r car/roced ac i ffwrdd â fo, gan adael ni'n tri efo llond ceg o fwg. Roedd Caron yn edrych fatha bwgan brain gan fod to'r car i lawr, ond roedd o'n dal i fod mor sgrymlyd ag erioed. Dyma fo'n smwddio'i wallt yn ôl i'w le.

'Hai, Sadie,' medda fo, yn ei ffordd hynod cŵl Duw Rhywllyd.

'Haia,' medda fi'n ôl, a wedyn to'n i'n methu meddwl be i ddeud nesa. Safon ni yna am eiliad heb ddeud dim. Roedd Fflur wedi troi'n ôl am y tŷ yn barod.

'Ym …' medda Caron, a sdopio.

'Ma' Yncl Kenny fi'n chware golff hefyd, ond tydi o ddim yn dda iawn. Ma' ganddo fo handicap anferth, medda Dad,' medda fi'n gyflym i drio cynnal sgwrs.

'O,' medda Caron, a gwenu.

Droish i nôl am y tŷ wedyn achos o'n i'n dechre teimlo'r fflamgochrwydd ar fy mochau. Ond *wedyn*, alwodd Caron ar fy ôl i. 'Sadie? Ti'n mynd i gìg *Recs Ffactor* dydd Sul?' Dwi bron yn *siŵr* bod ei fochau fo'n fflamgochio hefyd.

'Ym … ella,' medda fi. 'Wel, gobeithio.' Ro'n i'n mynd i ddechre egluro am Aberystwyth a champio efo'r lŵns, ond feddylish i y bydda fo'n swnio'n ofnadwy o drist, felly gaeish i ngheg.

'Wel, falle gwela i di yno,' medda Caron. Gochodd top ei glustia fo wedyn pan ddaeth Fflur allan a gofyn be faswn i'n licio ar fy mrechdan.

Ar ôl cinio, aeth Fflur a fi yn ôl i orffen peintio, ac ro'n i'n disgwyl i Caron ddod i helpu gan fod Fflur wedi sôn, ond nath o ddim. Aeth o am dro i rywle a toedd o heb ddod nôl pan adewish i.

'Ydi Caron yn iawn?' ofynnish i wrth Fflur pnawn 'ma.

'Mae o braidd yn dawel.'

'Sa i wedi sylwi,' medda Fflur wrth dynnu'r tâp masgio rownd y ffenest.

'Falle bod ei galon o'n dal wedi torri oherwydd Anest,' awgrymish i wedyn, a driish i ofyn (mewn ffordd ffwrdd-â-hi) pwy orffennodd efo pwy, ond yn ôl Ff. neith o ddim trafod y peth o gwbl.

Ffiw! Ma' fy mrên i'n brifo efo'r holl feddwl dwi 'di neud heddiw. Dwi am wrando ar CD *Synau Heddychlon* rŵan er mwyn ymlacio'n braf.

22.39

Toes yna ddim byd *llai* heddychlon na sŵn morfilod yn udo. Sut ar y ddaear ellith rywun ymlacio wrth wrando arno fo, wn i ddim. Chysga i'r un winc rŵan, debyg.

19.10

Ddeffrish i'n glep o freuddwyd am Caron a fi'n cerdded yr Wyddfa am 6.56 bore 'ma. Ro'n i newydd faglu (*typical!*) ac roedd C. ar fin fy nghodi fi i fyny a rhoi ei fraich amdana i pan glywish i sŵn stereo yn bloeddio o'r ardd drws nesa. Dyna sut gwyddwn i fod Vince, gŵr Nicky B.o.N, yn ei ôl.

Codi pwysau ydi petha Vince. Pan mae o'n dod adre o'r rigs olew mae o'n byw a bod yn yr ardd, yn codi baryn efo tunelli o haearn arno fo, tra'n gwrando ar fiwsig yr oes o'r blaen. *I mean*, be *haru'r* dyn? Prin medar o fynd drwy'r drws efo'r holl fysls sy ganddo fo'n barod; does bosib ei fod o angen *mwy*? Roedd Nicky'n ei wylio fo o stepan y drws cefn gan ddeud 'Ww Vince!' neu 'Ty'laen Hogyn Mawr!' bob hyn a hyn. Yn y diwedd, roish i mhen allan drwy'r ffenest a tyt-tytian, ond roedd y miwsig mor uchel dwi'm yn meddwl eu bod nhw wedi sylwi.

Fedrwn i'm setlo wedyn, a dyma fi lawr i neud paned. Roedd Dad yn yr ardd. I ddechra, feddylish i fod o'n rhoi llond pen i Vince am ei wyrc-awt ben bora, ond yna sylweddolish i fod o ar y ffôn. Welodd o fi drw'r ffenest a dod i'r tŷ.

'Cer nôl i dy wely, Plwmsan,' medda Dad, 'ma hi'n gynnar eto.'

'Oes ganddoch chi joban yn rwla?' medda fi, yn sylwi fod o wedi gwisgo.

'Ym … oes. Yncl Kenny oedd ar y ffôn rŵan. Isio mynd i ryw sioe yn rwla.' Edrychodd yn amheus ar ei fobeil, fel tasa fo ar fin tyfu cyrn.

'A' i i fyny 'ta,' medda fi, yn teimlo fel niwsans yn sydyn reit.

Rhyw ddiwrnod be-'na-i fuo fo wedyn. Dreulish i'r bore

fel dynes londrét ar ôl i'r Fuhrer ganfod bod Fy Nillad Gwyliau heb eu golchi, a chael ffricsan.

Pnawn 'ma fuodd Hayls a fi am dro. Alwon ni yn Siop Fach am dda-da, a phwy oedd yno ond Catrin Thomas a Nerys Kathryn. Roeddan nhw ar eu ffordd i weld Jo. Dwi'n gwbod hyn oherwydd roeddan nhw'n mynnu siarad yn ddigon uchel fel mod i'n clywed.

'Ti'n meddwl y basa *Jo* yn licio *bon-bons*?' bloeddiodd Nerys.

'Na, *Pear Drops* 'di hoff dda-da *Jo,*' atebodd Catrin. Dwi'n gwbod yn iawn nad ydi Jo yn licio'r un o'r ddau, ond to'n i'm yn mynd i ddeud hynny wrthyn nhw, nac oeddwn?

'Fasach chi'n licio corn siarad, genod,' medda fi, 'jest i neud yn siŵr mod i'n dallt y neges?' Anwybyddodd y ddwy yr awgrym yma, ac actio fel taswn i'm yn bodoli. Pathetig!

'Toedd o'n *ffantastig* am Jo yn mynd mlaen i rownd nesa'r *Sioe Dalent*?' medda Nerys K.

'A chael gwadd ei *ffrindiau* i'r perfformiad *byw* wthnos nesa,' waeddodd Catrin, gan or-bwysleisio, fel tasa hi'n adrodd yn y steddfod. 'Dwi *mor* falch mod *i'n* ffrind iddi hi.'

'Fedra i'm *disgwyl* tan nos *Fercher,*' medda Nerys, a'i hwyneb bach pojlyd yn glafoerio dros y bariau mawr o siocled.

'Ty'd Hayls,' medda fi'n uchel yn ôl. 'Ma' 'na ogla drewi yn dod o rywle.'

''Rywun di gneu' pw!' medda H. gan edrych yn hapus iawn am y peth.

Dwi'n falch dros Jo. Ydw wir. Ond ma'n dal i deimlo'n rhyfedd peidio bod yn rhan o bethau. 'Chydig wythnosau'n ôl, mi fyddwn i'n gwbod pob manylyn, a rŵan 'dan ni fel dieithriaid. Meddwl am hynny o'n i wedyn, wrth smwddio tomen o grysau-t a digon o drowsusau i ddilladu pentre cyfan yn Affrica. Tybed allai'r un peth ddigwydd rhwng Mam a Dad? *I mean*, ma' nhw'n briod ers Oes y Cerrig, yntydyn? Fasa hi'n amhosib iddyn nhw jest gwahanu fel'na … a bang! Colli nabod ar ei gilydd. Yn basa?

Yn ffodus, ganodd y ffôn i nhynnu fi o'r myfyrdod dwys.

'Helô!' medda'r llais. Nain! 'Hayley? Ti sy 'na, siwgwr candi mêl?'

'Naci, Sadie sy 'ma … a toes 'na'm rhaid chi weiddi, Nain, dwi'n clywed yn iawn.'

''Na fo, 'ta. Wel, dwi 'di trio ffonio sawl tro a chael yr hen beiriant 'na o hyd. A wna i ddim siarad hefo fo, ysdi, achos ma'r hogan arno fo mor ddigywilydd.'

'Neges wedi'i recordio ydi hi, Nain.'

'Ia, ia, wel … Ydi dy fam yna?'

'Nac'di. Ofyrtaim.'

'Eto fyth!'

''Dan ni'n mynd i ffwrdd dros y penwythnos. I gampio.'

'Mewn *tent*?'

'Wel … ia.'

'Be haru'r dyn 'na? … I le 'dach chi'n mynd?'

'Aberystwyth.'

'I be 'dach chi isio mynd i fan'no?'

'Dwn i'm, Nain.'

'Pam na fasach chi'n mynd i Landudno? I aros mewn hotel?'

Ro'n in meddwl mwy yn nhermau Ibiza fy hun, ond nesh i ddim crybwyll y peth wrth Nain chwaith. Ffoniodd Mam hi'n ôl wedyn a chael un *arall* o'r sgyrsiau sibrwd-mewn-stafell-arall-c'ofn-i'r-plant-glywed yna. Ma'n nhw'n digwydd yn amlach ac yn amlach yn y tŷ 'ma y dyddiau hyn.

21.15
Wedi bod isio tecstio Jo heno. Ma'r ffôn 'di bod yn fy llaw

i ers hanner awr a mwy. Dwi 'di bod yn ista yma yn meddwl tybed be fasa'n digwydd taswn i'n gyrru neges. Rwbath fel *Llongyfarchiadau. Colli ti. I mean,* ella basa fo'n swnio'n soplyd, ond mae o'n *wir.* O, be 'di'r pwynt? Siŵr o fod fasa hi ddim yn ateb. Fasa hi'n meddwl mod i jest isio bod yn ffrindie eto achos bod hi'n mynd i fod yn enwog, ond tydw i ddim. Dwi jest isio sgwrs. Sgwrs go-iawn, sgwrs agos atat ti efo rhywun sy'n dallt … Wedyn gofish i siŵr bod hi wrthi'n byta *bon-bons* a *pear drops* hefo Nerys Kathryn a Catrin Thomas, a benderfynish i beidio.

22.00

Newydd gyrraedd yn ôl ma' Dad. Roedd y sioe y tu allan i Fachynlleth, medda fo, a dyna pam fod o'n hwyr. Edrychodd Mam yn rhyfedd arno fo cyn deud bod 'na swper oer iddo fo'n y ffrij. Addas iawn, gan fod y Rhyfel Oer yn dal i ddigwydd yn tŷ ni.

20.46

Ma'r cloc yn tician a'r penwythnos erchyll yma'n tynnu'n
nes. Suddodd fy nghalon i reit i waelod fy fflip-fflops bore
'ma wrth weld Taylor yn crwydro tua'r bathrwm yn ei drôns
llwyd a'i sanau. *I mean*, yn y tŷ fedri di gloi'r embaras yn ei
lofft a smalio nad ydi o'n perthyn i ti, ond mi fydd hynny'n
anodd mewn tent seis bocs sgidia, yn bydd? Driish i ddal
annwyd bore 'ma wrth sefyll yn y glaw am bum munud, ond
tydw i heb disian ddim un waith.

'Fydd 'na fwd ymhobman fory,' medda fi wrth Dad.
'Dwi'm yn meddwl fod hynny'n awyrgylch iach iawn. I
Mam a Hayley'n arbennig.'

'A-ha!' medda Dad, fatha consuriwr gwael. Aeth o i'r sied
a dod â llwyth o blastig glas allan efo fo. 'Brynish i'r *rhain*
ddoe. Fyddwn ni fel tôst, Plwmsan!'

Rhyw gynfasau sbesial ydyn nhw sy'n rhwystro dŵr rhag
dod i'r babell. 'Nid *pawb* 'sgen rhain,' medda fo'n falch.
Nid pawb sy'n mynd i aros mewn tent yng nghanol monsŵn
chwaith, feddylish i, ond nesh i ddim dadlau gan fod o'n
edrych gymaint yn fwy joli nag oedd o bore ddoe.

Am unwaith, roedd Anti Trace yn cytuno efo fi.
Gornelodd hi fi yn y siop. Roedd Nain wedi'i ffonio hi i
ddeud am y campio.

'Tydw i heb siarad efo dy fam ers i Terry ddod yn ei ôl.
Dwi 'di trio ffonio ond …'

'Ma' hi'n gneud lot o ofyrtaim,' medda fi'n gyflym. To'n
i'm isio iddi ddechra lladd ar Dad. 'Ma' hi'n deud bod hi'n
trio rhoi cyfle iawn i bethau.'

Gododd Anti T ei haeliau fel tasa Mam yn deud 'i bod
hi'n mynd i drio dringo'r Wyddfa mewn sgidia bale.

'Pam na fasa hi wedi sôn, o leia? Ydi o'n beth call iddi hi

fynd, d'wad? A hitha'n …' Stopiodd hi'n stond wedyn.

'Dwi *yn* gwbod am y babi,' medda fi, yn ddistaw rhag i Carol ac Ange glywed.

'A be wyt ti'n feddwl am y peth?'

Feddylish i am y milfed tro gymaint o embaras ydi Mam, ond o'n i'n gwbod y bydda Anti T yn trio mherswadio ei *bod* hi'n perthyn i'r hil ddynol, felly ddudish i 'Dwm'bo,' yn lle hynny.

'Wel, mi fyddi di'n gefn mawr iddi hi yn ystod y misoedd nesa 'ma, prun bynnag,' medda Anti T.

'Bydda?'

'Wel, byddi siŵr! Hogan gall fel chdi!'

O'n i isio gofyn pwy fyddai'n gefn i *mi*, ond nesh i ddim.

Roedd hi'n dawel yn y siop pnawn 'ma, felly darllenodd Carol fy nghardiau tarot. Yn ôl pob sôn, ma' 'na gymhlethdod carwriaethol i ddod, a lot o ansicrwydd cyn bydda i'n gwbod be 'di be. O, ac ma' 'na ddigwyddiadau eithafol a thrawma mawr o mlaen i, fydd yn gneud i mi gwestiynu popeth o'n i'n arfer gymryd yn ganiataol.

'Dim byd newydd 'ta,' medda fi.

'O, ydi *mae* o,' mynnodd Carol. 'Sbia faint o gardia'r Arcana Fawr sydd o dy gwmpas di. Geith dy fywyd di i gyd ei siapio gan y dyddiau nesa 'ma.'

'Be, yn ista'n y glaw mewn tent yn Aberystwyth? Dwi'm yn meddwl!'

'Paid â llenwi pen yr hogan efo nonsens,' medda Anti T yn siarp, gan hel y cardiau nôl i'r bocs. 'A pheth arall, ma' isio llnau'r gegin gefn. Ffwr' â chdi!'

Crychodd Carol ei thrwyn ac ochneidio fel 'tai'r gwaith yma'n dibrisio'i thalentau proffwydol, a mynd yn ara bach am y gegin.

Wrthi'n cau'r siop oedd Anti T a fi pan welish i Jo yn stelcian y tu allan.

'Cer di, yli,' medda Anti T. 'Dwi'n siŵr bod ganddoch chi waith siarad. Cofia fi at dy fam, nei di? A deud wrthi am gymryd gofal!'

Roedd hi wedi bod yn bwrw drwy'r pnawn ond roedd yr haul yn sgleinio ar y ffenest pan esh i allan ac roedd llygaid Jo wedi sgrwnsio'n fach rhag cael ei dallu.

'Meddwl ella sa chdi'n licio cwmni ar y bws,' medda hi. 'Ma' 'na un yn mynd rŵan os frysiwn ni.'

'Iawn,' medda fi.

Redon ni draw i'r lle bysys a chyrraedd mewn pryd i weld mwg y bws yn chwdu o'r egsost wrth bowlio lawr y lôn.

'Fydd 'na un arall mewn munud,' medda fi, a throi ati hi. 'Dwi'n licio dy dop di.'

'Fues i yng Nghaer y diwrnod o'r blaen. Efo Nerys a'i mam.'

'O. Neis!' medda fi. To'n i'm yn siŵr sut i ymateb. *I mean*, pan ti 'di chwerthin am ben rhywun fel Nerys am flynyddoedd ma' hi'n anodd esgus bod hi'n hen hogan iawn yn sydyn reit.

Am ryw reswm, o'n i isio chwerthin. Deimlish i'r awydd yn chwyddo fel balŵn tu mewn i mi, ac wrth i mi sbio'n slei ar Jo mi sylwais bod ei gwefusau hi'n crynu hefyd. Yr eiliad nesa roedd y ddwy ohonan ni'n glanna chwerthin, yn sterics llwyr. Ro'n i'n teimlo rhyddhad anferthol, a Jo hefyd dwi'n meddwl. Gafyn, o bawb, oedd wedi'i pherswadio hi i ddod ata i i siarad.

'Dwi'm 'di'i weld o ers steddfod,' medda fi.

'Wel, ti 'di bod yn *brysur* yn do, efo dy ffrind *newydd*.'

'A be amdanat ti efo Nerys K a Catrin?' medda fi'n ôl.

'Tynnu dy goes di. Chdi 'di'n mêt gora fi, siŵr!'

'A chdi 'di'n mêt *i*.' Roish i gwtsh mawr iddi, ac am y tro cynta ers sbel o'n i'n teimlo'n hapus. Eglurish i bod pethau'n od efo Caron, ac aeth hi 'chydig yn dawel, ac ro'n i'n meddwl mod i wedi pechu eto, ond wedyn ofynnodd hi 'Ym … sut ma' Taylor?'

''Run mor dronglyd ag arfer. Dwi'n gorfod rhannu tent efo fo'r penwthnos yma!' Nesh i ddechra sôn am y trip i Aberystwyth wedyn, heb fanylu gormod am Mam a Pops pan ofynnodd hi'n sydyn, 'Ydi'r teulu i *gyd* yn mynd?'

'Ydyn, yn anffodus.'

'Dy dad hefyd?'

'Ydi siŵr. Ei syniad lŵnaidd o ydi'r cwbwl. Pam?'

Dyma hi'n edrych yn annifyr wedyn, cyn deud, 'Ym … ella mod i'n rong, ond fues i yn Nolgellau ddoe. Mewn rhyw sioe amaethyddol. Oedd Nain yn gneud arddangosfa *line dancing* … a dwi'n meddwl mod i 'di gweld dy dad yno.'

'Ar y stondin wirion 'na? Efo Yncl Kenny?'

'Wel, naci, *actually* … efo dynas. Dwn i'm pwy oedd hi.'

Nesh i weithio'r peth allan yn syth bìn. 'O, ffrind Yncl Kenny, debyg. Ma' hi 'di bod yn helpu ar y stondin …'

'Doeddan nhw ddim yn agos at unrhyw stondin, Sade …' a wedyn ollyngodd hi'r *bombshell*. 'Welish i nhw'n snogio wrth y fan *hot dogs* …'

Ro'n i'n lwcus achos ddaeth y bws wedyn. Ddudish i wrth Jo ei bod hi 'di gneud camgymeriad, achos roedd Dad ym Machynlleth ddoe hefo Yncl Kenny, wedyn nesh i fartsio i fyny'r stepia a throi fy ngwyneb fflamgochaf at y ffenest. Ddaeth Jo ar fy ôl i a thrio deud sori, ond nesh i ddim byd blaw eistedd yn llonydd a gwatsiad y dafnau glaw yn rhedeg lawr y ffenest. Yn y diwedd, dawelodd hi. Pan gyrhaeddon ni Llanfor, dechreuish i gerdded reit sydyn am adra, ond roedd llais Jo a be ddudodd hi'n dal i ganu yn fy nghlustia i. Dwi byth, byth, *byth* yn mynd i siarad efo hi eto am ddeud ffasiwn beth, tra bydda i byw. A dyna'i diwedd hi.

Dydd Gwener, Awst 21ain

09.20

Wrthi'n pacio ydw i. Nid fod gen i fawr o fynedd. Dwi'm 'di trafferthu hefo'r eli haul a'r bicini gan ei bod hi'n pistyllio'r glaw y tu allan. Ma' geiriau Jo'n dal i droi fatha peiriant golchi yn fy mhen. Fedra i'm *coelio* y basa hi'n deud y ffasiwn beth! Dwi'n gwbod ein bod ni wedi ffraeo, ond pa fath o berson sy'n dod i nghwfwrdd i *yn unswydd* er mwyn creu trafferth fel'na? A be sy'n *waeth* ydi na fedra i *cweit* goelio mai dyna oedd hi'n neud, ond mi fydda *hynny'n* golygu fod Jo yn deud y gwir … a fedra i'm credu hynny chwaith. Biciais i lawr i'r stafell fyw neithiwr ac roedd Mam a Dad yn gwylio ffilm efo'i gilydd ar y soffa. Ocê, toeddan nhw ddim yn dal dwylo na dim, ond toeddan nhw ddim yn edrych yn *ofnadwy* o drist, nac yn ffraeo. A pheth arall, ddoth Dad adre yn do? Er gwaetha cnewian a hefru Mam. Fasa fo ddim yma, a fasa ni'm yn gorfod diodde'r ffârs campio 'ma tasa fo ddim o ddifri.

Nesh i feddwl hwyrach y dyliwn i sôn wrth Mam, dim ond er mwyn ei chlywed hi'n deud wrtha i am beidio siarad rwtsh, ond toes 'na'm pwynt mynd i gwrdd â gofid, fel ma' Nain yn ddeud. Trio anghofio am y peth fasa ora, a dyna dwi 'di trio'i neud. Ond ma' 'na gnonyn bach anesmwyth yn gwingo tu mewn sy'n deud 'Be os oedd Jo yn deud y *gwir*?' O ffor-fflip-fflop's-sêc, pam na fedrith petha fod yn syml am unwaith?

18.59

Wel … 'dan ni yma! Ar ben clogwyn, yn edrych allan ar y môr. Fatha Bendigeidfran, ond heb y taldra ffrîclyd. Mi fedri di weld Iwerddon pan ma' hi'n braf medda Haydn, y perchennog, ond prin medra i weld fy llaw i sgwennu gan 'i bod hi'n dywydd mor annifyr. Glaw a niwl fuodd hi, yr holl

163

ffordd i lawr. Fuon ni'n sdyc tu cefn i lori goed am filltiroedd, oedd yn eitha hwyl – *not*!

Dyma fo'n 'y nharo i'n sydyn pa mor wahanol oedd fy nhaith hir ddiwetha mewn car, efo teulu Fflur. Dwi'n teimlo fymryn yn annifyr am beidio cysylltu efo hi, deud y gwir, yn enwedig ar ôl ffiasco fy sgwrs efo Jo. Sganddi hi'm clem lle ydw i, hyd yn oed. Jest gobeithio gawn ni fynd adre mewn digon o bryd i weld *Recs Ffactor*. (Wel, a gweld Caron hefyd, wrth gwrs!)

Ar ôl cyrraedd, roedd eisiau codi'r fflipin pebyll, toedd? Ma' 'na ddwy babell ganddon ni: un i M a D, ac un i Hayls, fi a Taylor. Rŵan, yn fy marn i, job dyn ydi codi pabell, fatha mai job dyn ydi troi'r cig ar farbeciw, ac felly mi adewish i'r gwaith trefnu ar ein pabell ni i Taylor. Mistêc! Newydd fod â H i gael pi-pi o'n i a *pwy* ddaeth i'n cyfarfod ni ar y ffor' nôl ond Taylor. I fod yn fanwl gywir, Taylor wedi'i lapio mewn nylon oren o'i gorun i'w sawdl oedd o, yn crwydro ar hyd y cae fel sombi colledig. Weithiau, yndê, dwi *wir* ddim yn gwbod be 'di pwrpas bodolaeth fy mrawd.

Yn y diwedd, lwyddon ni i godi'r trychbeth er fod 'na gorwynt yn rhuo. *Ma'* hi'n eitha clyd yma rŵan, chwara teg, a chynfasau hud Dad yn socian y gwlybaniaeth i gyd i mewn, fatha clytiau anferthol. Dwi wedi gosod fy mhethau mor dwt â phosib, ac mor bell â phosib oddi wrth Taylor. Nesh i fynnu 'i fod o'n cael bath bore 'ma felly tydi'r drewdod heb gropian yn ôl eto, ond dwi'n gwbod mai mater o amser fydd hi.

Reit, dwi am guddio'r dyddiadur yma, 'cofn i T gael ei fachau arno fo. 'Dan ni'n mynd rŵan i gael bwyd i rywle ma' Haydn, perchennog y maes pebyll, wedi'i argymell, ond rydw i braidd yn amheus. Ma' Haydn yn pwyso tua 4 tunnell, ac yn ôl ei olwg o fasa'r cradur yn bwyta gwellt ei wely tasa fo isio snac ganol nos. Ddudwn i nad ydi o'n *ffysi* am ei fwyd, rhowch hi ffor'na …

Dydd Sadwrn, Awst 22ain

09.45

Dwi wedi bod yn effro ers dwyawr a hanner. Yn waeth na hynny, gesh i 'neffro gan Pops yn gwisgo shorts a sgidia cerdded a *kagoul*. Ma'n ddigon i neud i mi drio dianc i leiandy, onest tŵ …

Roedd o yn un o'i hwyliau 'yn y bore ma'i dal hi, Seid'. Mae o wedi deud hyn 64 o weithiau'n barod heddiw. Yn y diwedd, ddudish i 'Dal be, Dad? Niwmonia?'

Roedd rhaid i mi wisgo yn y sach gysgu gan fod Taylor yno (er, roedd on rhy soncd i sylwi). I lawr â fi i ddyfnder y bag pan deimlish i rwbath gwlyb a chynnes. Roedd Hayley wedi penderfynu mai fy sach gysgu i oedd y toilet agosaf yng nghanol y nos. Fedra i'm beio'r graduras, mi fydda meddwl am fentro allan i'r twllwch mewn monsŵn yn ddigon i ddychryn unrhyw un, ond piti na fasa hi wedi dewis sach T. *I mean*, ma' 'na hen ddigon o ddrewdod yn fan'no'n barod. Ta waeth, dwi wedi bod yn trio diheintio'r sach ers oes, drwy dywallt *Impulse* arno fo, ond toes 'na fawr o wahaniaeth. O hec, mae Dad wedi estyn am ei finociwlars o'u cas. Mae o'n meddwl mai'r boi Iolo 'na sy'n sbeio ar adar ydi o. Dwi'n meddwl y bydd hwn yn ddiwrnod hiiiiiiiir!

22.32

Ma' fy nghoesa i fel darnau o blwm. Dwi'n meddwl y bydd rhaid nôl cadair olwyn/JCB i nghario i o'ma achos toes 'na'm ffor' y galla i gerdded un cam arall. Sawl tro heddiw, ro'n i'n teimlo fel y deryn o ddynes Paula Radcliffe 'na pan oedd hi'n crio wrth ymyl y lôn wrth iddi drio rhedeg marathon. A ma' hi'n redwraig *broffesiynol,* tydi? Ma' hi'n *mwynhau* trotian am filltiroedd drwy'r Sahara neu i fyny

165

Everest. *Dwi,* ar y llaw arall, yn normal. Oni bai am ambell i chwiw loncian, dwi'n trio cerdded cyn lleied â phosib fel mater o egwyddor. Oedd, roedd fy nghyndeidiau yn Affrica yn cerdded am filltiroedd i ffeindio cegaid o ddŵr a hanner *cho*p i de, ond ma' pethau'n wahanol rŵan. Ma' ganddon ni *siopau.* A tasa'r Bod Mawr isio i ni gerdded yn amlach, pam greodd o fysys 'ta? Yn anffodus, roedd Haydn wedi perswadio Dad fod *rhaid* i *bawb* sy'n dod i Aberystwyth ddringo i ben *Constitution Hill* ar beryg bywyd, ac roedd Pops wedi cymryd ei eiriau i'w galon.

Lwyddodd Taylor i gael allan ohoni, yn ôl ei arfer. Yn ystod ymdrech hirfaith Dad i barcio, mynnodd T fod rhaid iddo fo fynd i'r tŷ bach, ond pan gwelish i o'n diflannu i'r lle *amusements* ar y pier o'n i'n gwbod bod hyn yn rwtsh. Tua 37 awr yn ddiweddarach, lwyddon ni i ffeindio rhywle i barcio (jest i'r de o Ddolgellau!) a toedd 'na ddim golwg o'r annwyl frawd. Gwenodd Mam, ac ysgwyd ei phen, gan ddeall yn iawn be oedd T wedi'i neud.

'Pam fod *o'n* cael get-awê o hyd?' ofynnish i.

'Hisht, paid â chwyno Sadie. Ma' dy dad yn dod i ŵan, a tydw i'm isio sbwylio'i ddiwrnod o.'

'A be am fy niwrnod *i*?'

'Neith ddim mymryn o ddrwg i ti gael 'chydig o awyr iach a stretsh i'r coesau 'na,' medda hi wrth gyffwrdd fy nghlun yn ysgafn, gan ddechrau cyfres o *aftershocks* woblyd. 'Ti'n gweld?' medda hi.

'Deud petha fel'na sy'n gyrru merched ifanc fatha fi i fyw ar un grîm cracyr a phaned o de y diwrnod,' medda fi'n ôl.

'Paid â siarad yn wirion,' oedd unig ymateb Mam. Ma'n amlwg bod fy sgiliau dadlau wedi'i brawychu hi oherwydd aeth hi i'r tŷ bach yn syth wedyn, a phan ddaeth hi'n ôl roedd hi'n dawel iawn.

166

Roedd cerdded ar hyd y prom yn braf. Roedd y môr yn reit wyllt, a'r tonnau'n clecio yn erbyn wal y traeth. Dyma fi'n dychmygu fy hun yn sefyll ar ben y jeti mewn clogyn melfed du fatha'r ddynas 'na ar yr adfyrt gwerthu 'siwrans, jest yn syllu allan i'r môr. O bell, dwi'n clywed rhywun yn galw fy enw, ac yn troi a gweld gŵr ifanc golygus sy'n edrych yn debyg iawn i Caron ('mond bod o o'r Oes o'r Blaen, ac efo *side-burns*) yn llamu tuag ata i.

Ddeffrish i o'r ffantasi'n gyflym wrth weld llwyth o ferched yn gneud dawnsio llinell y tu allan i'r bandstand ar y prom. Feddyllish i tybed oedd nain Jo yn eu canol nhw. Roedd Hayls a Mam a fi isio cael hufen iâ a sefyll i'w gwylio nhw, ond roedd Pops yr Anturiaethwr isio symud 'mlaen. A deud y gwir, roedd o'n reit benderfynol am y peth. Dim ond 'chydig gamau oeddan ni wedi'i gerdded, a droish i am yn ôl, a welish i rywun debyg iawn i'r ferch Dawn yna, chwaer Esme Yncl Kenny, reit yn y rhes gefn. Pan sbiish i ar Dad roedd ei wyneb o'n wyn.

'Dad? Dwi'n siŵr bod chwaer y ddynas Esme 'na …' Chesh i'm gorffen y frawddeg gan fod Dad wedi cydio yn Hayley a'i chodi hi ar ei sgwyddau a rhedeg o'n blaena ni i ben draw'r prom. Ddudodd Mam ddim byd ond sugno'i cheg i mewn nes oedd hi fel llinell ar draws ei hwyneb hi, a cherdded yn ei blaen.

Ddechreuodd hi fwrw hanner ffordd i fyny'r allt (neu'r rhiw fel ma' nhw'n ddeud yng Ngwlad yr Hwntw) ond roedd Pops wedi sbrowtio traed gafr sydyn reit. Wrth i mi fustachu heibio i'r patshys eithin, ro'n i'n ei weld o'n y pellter a Hayls yn bobio fyny a lawr ar ei gefn o. Yn sydyn, glywish i sŵn 'Aww!' fawr. Roedd Mam wedi llithro ar y mwd ar y llwybr ac wedi mynd ar ei phen i dalp o eithin. Driish i weiddi ar Dad, ond roedd y gwynt yn codi ac yn gwrthod cario fy llais. Toedd Mam ddim yn edrych yn dda.

''Dach chi'n iawn?' ofynnish i. Roedd hi'n welw ac yn gneud sŵn griddfan. Nodiodd ei phen.

''Dach chi isio i mi nôl help?' Gesh i fflach sydyn o helicoptars a hogia del mewn ofyrôls oren yn ein hachub ni.

'Na. Fydda i'n iawn. Jest angen pum munud bach ydw i. Cer di yn dy flaen os wyt t'isio.'

To'n i'm yn meddwl fod hynny'n syniad da (ac eniwê, roedd o'n esgus perffaith i beidio cerdded yn bellach), ac felly mi swatiais i lawr wrth ei hochr hi yn yr eithin a disgwyl i'r Anturiaethwr Mawr ddychwelyd. Driish i 'i ffonio fo, ond toes 'na'm signal da ar ben brynia yn Aberystwyth.

Ar ôl tua pum munud, roedd Mam yn teimlo fymryn yn well, a godon ni a ffeindio carreg fflat i eistedd arni a chael panad fflasg.

'Diolch i ti, Sadie fach,' medda Mam yn sydyn, a gwasgu fy llaw. Wedyn ddudodd hi 'Ti'n hogan dda, o dan y lol yna i gyd, yndwyt?'

Ddudish i ddim byd, 'mond codi fy sgwydda a thynnu fy llaw yn ôl, achos o'n i'n teimlo fel hogan fach yn dal llaw Mam.

Yn y diwedd, welish i ffigwr yn dod tuag aton ni, drwy'r niwl. O'n i'n gwbod mai un ai Dad neu rhywun o'r Mabinogi oedd o, achos toedd 'na neb arall ar y mynydd 'blaw ni. (Hmm, tybed pam?) Ma'n amlwg bod pawb o'r Mabinogi yn brysur heddiw, felly dim ond Dad oedd yna i Achub y Dydd mewn modd arwrol. 'Blaw nath o ddim …

Gweld bai ar Mam nath o, am beidio gwisgo sgidia call. Ddudodd hi fod petha felly'n costio, a tasa fo'n gofalu amdanan ni'n well na fasa'n rhaid iddi boeni am bob ceiniog. Wedyn ddudodd Dad fod o'n trio'i orau, ond ei bod hi'n gweld bai ar bob ymdrech i neud pres, fatha'r stondin. Atebodd Mam fod o'n gwario mwy o bres nag oedd o'n neud ar y stondin, ac nid ar ei deulu o'i hun oedd o'n 'i wario fo 'chwaith. A chyn i ni droi, hei-ho, roeddan nhw ar ganol ffrae wyllt arall a gwynt ffôrs-ten yn chwyrlïo o'n cwmpas ni. Dechreuodd Hayls grio, a dyma fi'n ei chodi hi a'i dal hi'n dynn. Roedd ei dagrau hi'n cynhesu rhywfaint ar fy mochau rhewllyd i. Pa deulu arall, 'blaw'n teulu ni, fyddai'n dewis cael ffrae hanner ffor' i fyny mynydd yng nghanol storm? Hyd yn oed yn ôl 'u safon arferol nhw, roedd hyn yn lŵnrwydd eithafol. Yn y diwedd, nesh i gydio'n llaw Hayls, a deud ''Dan ni'n *mynd'*.

Ro'n i'n teimlo'n reit ddramatig wrth fartsio i ffwrdd i lawr y bryn, a'r cecru'n dal i rygnu mlaen tu ôl i ni. Yn anffodus, wedi i ni gyrraedd y gwaelod, sylweddolish i ein bod ni angen pàs nôl i'r babell, felly aeth Hayls a fi i sefyll i borth drws un o neuaddau'r myfyrwyr. Roedd o'n adeilad reit hen a sbwclyd, deud y gwir. Yn y diwedd, ymddangosodd Mam, ar ei phen ei hun.

'Lle ma' Dad?' ofynnish i.

Dyma hi'n rhoi ei bysedd ar ei thalcen, fel tasa hi'n trio rhwbio'r broblem o'no. Neu rwbio Dad o'no hwyrach. Yn y diwedd, ddudodd hi, 'Dowch genod, awn ni am y car'.

Toedd hi ddim yn broblem ffeindio Taylor. Yn yr arcêd oedd o, yn prysur saethu corachod mewn gêm o'r enw *Snow White: Apple of Doom.* Ond naethon ni ei demtio fo o'no trwy sôn am fwyd, a bwyd Tseinïaidd yn benodol. Fasa fo'n gwerthu'i Nain am *barbecued spare ribs* a *spring roll*, felly toedd hi fawr o job.

'Lle ma' Pa?' ofynnodd o pan aeth Mam a Hayls i'r toiled. Roedd hwn yn gwestiwn anghyffredin. Fel arfer, fasa fo ddim yn sylwi tasa'r tŷ ar dân.

'Gaethon nhw ffrae arall, ar y mynydd. Ddoth o ddim i lawr,' eglurish i.

'Ie, *reit*!' medda T.

169

'Be ti'n feddwl?' medda fi.

'Neith o'm *rhewi*, laic, dduda i *hynny,'* medda T, gan grensian *prawn cracker.* A chesh i'm mymryn o sens ganddo fo wedyn gan fod bwyd yn mynnu sylw yr 16 cell oedd ar ôl yn ei frên.

Pan ddaethon ni nôl i'r pebyll, toedd 'na ddim golwg o Dad. Ma' Mam wedi mynd i'w sach gysgu'n barod efo cur pen. Dwi am neud yr un peth gan mod i wedi blino trio diddanu Hayls trwy chwarae 'Dwi'n gweld efo'm llygad bach i' pan mai'r unig beth o fewn golwg ydi Taylor yn rhochian, a lot o wair du tu allan. O, dwi isio mynd *adre*!

Dydd Sul, Awst 23ain

07.45

’Dan ni yn yr ysbyty. Dwi’n sgwennu hwn ar gefn taflen clefyd siwgwr achos roedd rhaid i ni adael ar frys yng nghanol y nos.

Mi gesh i fy neffro’n sydyn o freuddwyd. Roedd Mam yn f’ysgwyd i.

‘Mam, be sy?’ ofynnish i. Roedd hi’n crensian ei dannedd fel tasa hi’n trio dal rwbath i mewn, ond bob rŵan ac yn y man fydda ’na fymryn o sŵn yn dianc allan o’i cheg.

‘Poen,’ medda hi. ‘Yn fy mol. Y babi …’ a dyma’r mymryn griddfan yn sleifio allan eto.

‘Lle ma’ Dad?’ ofynnish i, ond doeddwn i ddim disgwyl ateb. O’n i’n gwbod rwsut nad oedd o wedi dod yn ei ôl. Gesh i’r teimlad oer ’ma, reit yng ngwaelod fy stumog, fel tasa ’na giwb bach o rew wedi disgyn i mewn iddo fo, ond nesh i ’i anwybyddu o a bustachu allan o’n sach gysgu.

Ma’ pawb yn fy nghanmol i yn y ’sbyty, ac yn deud ’mod i wedi bod yn aeddfed iawn. Ond y cwbl o’n i’n deimlo ar y pryd oedd fod rhaid i rywun neud *rwbath*. Toedd Mam ddim mewn stad, toes *gan* Taylor ddim stad, a toedd Dad ddim yna, wedyn … toedd ’na’m dewis, nagoedd?

Nesh i lapio Mam yn fy sach gysgu a thrampio draw i dŷ Haydn trwy’r caeau. Roedd tortsh bach gen i, ond toedd o ddim yn brofiad neis iawn. Roedd deffro Haydn lot anoddach. Fues i’n pwyso ar gloch y drws am oes-oesoedd-amen cyn iddo fo ymddangos mewn dressing gown goch fflyfflyd. Roedd o’n debyg i domato anferth yn dechrau llwydo.

Gaethon ni i gyd bàs ganddo fo yn ei 4x4, oedd yn ogla tail i gyd. Dwi’n siŵr fod hyn yn gneud Mam yn waeth, achos oedd rhaid i ni stopio iddi gael bod yn sâl. Esh i allan

171

ati hi. Basiodd ryw hogia, ar eu ffordd adre o ryw barti neu'i gilydd debyg.

'A ma' nhw'n *gweud* mai pobl ifanc sy waetha,' medden nhw dan chwerthin.

'Ma' hi'n *disgwyl*!' waeddish i nôl wrth i Mam chwydu'i pherfedd i lwyn cyfagos. Gaeon nhw'u cegau wedyn.

Pan aethon ni nôl i'r car roedd llygaid Taylor fel soseri. ''Dach chi'n disgwyl *babi*?!!' medda fo. 'Ond ... laic ... *sut*?'

'Nath hi ordro fo o Argos! Sut wyt ti'n feddwl?' medda fi.

'Peidiwch â ffraeo, plis,' medda Mam, ond roedd ei llais hi mor wan, prin o'n i'n gallu ei chlywed. Roedd o mor wahanol i'w thôn Fuhreraidd arferol, fel tasa hwfyr anferth wedi sugno pob gronyn o nerth ohoni. Yn sydyn, ro'n i'n teimlo'n gwbl ar goll heb y llais 'na.

Yr eiliad nesa, ddigwyddodd 'na wyrth. Dyma Taylor yn estyn ei fraich rownd sgwyddau Mam a'i dal hi'n dynn. Ddechreuodd Mam grio.

'Fydd o'n olreit, Mam, laic,' medda fo, ond roedd ei lais o'n crynu 'chydig bach hefyd.

Roedd hi'n brysur yn *Casualty* er gwaetha'r ffaith ei bod hi'n bedwar y bore, ond gafodd Mam ei gweld yn syth. Gysgodd Hayls drwy'r cyfan. Ma' Taylor wedi gadael miloedd o negeseuon ar ffôn Dad, ond tydi o ddim yn ateb. 'Neu ddim *isio* ateb,' medda T.

'Ella bod o 'di cael damwain ar y bryn, a disgyn i ffos,' medda fi.

'Disgyn i wely cynnes, fwy tebyg,' hyffiodd fy mrawd, ond cyn i mi gael cyfle i ofyn be oedd o'n feddwl, daeth y doctor allan.

Roedd o'n deimlad od iawn, iawn pan eglurodd y doctor be oedd yn digwydd. Ro'n i'n teimlo fel oedolyn, achos 'i fod o'n fy nhrin i fel un, ond ar yr un pryd o'n i isio iddo fo'n hel i i'r cantîn tra bod o'n deud 'Y Gwir Difrifol' wrth y bobl fawr. Eniwê, ma' Mam wedi colli lot o waed, medda fo, ond ma' hi'n dal i gario'r babi – ar hyn o bryd. Ma' nhw wedi gneud sgan, ac wedi gweld curiad calon y babi. Ma'r oriau nesa'n dyngedfennol, medda fo. A'r cwbl *fedrwn* ni neud ydi aros …

10.12
Syrthish i i gysgu yn y stafell aros am 'chydig. Ddaeth 'na nyrs â phaned draw a neffro i.
   'Lle ma' mrawd i?' ofynnish i. Roedd fy mhen i'n teimlo fel gwlân cotwm.
   'A'th e mas i ffono,' meddai'r nyrs.
   'Ydi Dad yma eto?'
   'Ym … sa i'n credu,' medda'r nyrs, yn chwithig braidd. 'Ma' dy frawd wedi ffono dy anti, fi'n credu, a ma' hi ar ei ffordd, gyda dy fam-gu.'
   Anti Trace! Diolch byth! A chwara teg i Taylor am feddwl yn gall am unwaith.
   Roddodd y nyrs glên ei braich amdana i wedyn, a deud y byddai popeth yn iawn, ond tydi hi'm yn gwbod hynny i sicrwydd, nac'di? O, ffor-fflip-fflop's, lle ma' *Dad*?!

15.54
Ma' Mam mewn cyflwr 'sefydlog'. Dyna ddudodd y Consyltant Babis 'chydig yn ôl. Ma'n gneud iddi swnio fel y tywydd. 'Mae Glen Jones yn sefydlog ar hyn o bryd ond mae'n bosib y daw 'na ffrynt o'r dwyrain a chwalu'r cwbl.' Ma' nhw isio'i chadw hi i mewn tan fory o leia i gadw llygad arni, wedyn 'dan ni'n mynd i aros mewn gwesty efo Anti T a Nain. Gyrhaeddon nhw 'chydig oriau'n ôl, jest pan oeddan ni'n cael gweld Mam. Roedd hi mor wyn â'r

gobennydd dan 'i phen hi, wir-yr. Roedd ei llais hi'n cracio drwy'r amser, ac roedd 'na lwyth o wifrau'n dod o'i braich hi yn monitro'i phwysedd gwaed a churiad calon y babi.

'Dwi'n sori!' medda fi, a deimlish i ddagra'n dod o rwla.

'Am be?' sibrydodd Mam.

'Am ddeud bo' chi'n rhy hen i gael babi, a mod 'i'n *embarrassed*,' medda fi. 'To'n i'm yn 'i feddwl o.'

Dyma hi'n gwenu wedyn a deud bod 'na ddim ots, a sbio tuag at Taylor oedd yn sefyll fel sowldiwr wrth y drws yn cydio yn llaw Hayls.

Agorodd y drws yn sydyn gan daro Taylor yn ei ben-ôl nes iddo syrthio'n glep ar lawr. Rhuthrodd Nain i mewn i'r stafell, gan gamu dros Taylor heb sylwi arno fo, gymaint oedd ei chonsýrn am Mam … a'i boncyrs bostrwydd yn erbyn Dad. 'Lle *mae* o, na fasa fo *yma* yn edrych ar d'ôl di a'r plant?' taranodd hi. Dyma hi'n sbeio Hayley wedyn a thrio'r rwtin 'siwgwr candi mêl Nain' arferol. Ond giliodd H y tu ôl i goesau dryw Taylor gan gadw llygad barcud ar ei sanau rhinclau lliw te.

'*Ddudish* i bod pabell yn syniad gwirion, *yn do?*' Taerodd Nain wedyn. 'Tasach chi wedi mynd i Landudno fasa hyn byth wedi digwydd.'

'Tewch, Mam,' medda Anti T yn dod i'r stafell. Roedd hi wedi dod â bag o betha i Mam, cylchgronau i mi a Taylor, a llyfrau lliwio i H. Dyma fi'n rhoi andros o gwtsh mawr iddi, a theimlo rhyddhad achos dwi'n teimlo'n saff pan ma' hi yna.

Aethon ni i'r cantîn efo Nain wedyn tra oedd Anti T yn siarad efo Mam. Ddudodd Nain y basa ni'n cael unrhyw beth oeddan ni isio, ond yn rhyfeddol toedd gen i fawr o awydd bwyd.

'Dan ni'n mynd i'r gwesty rŵan, gan fod Mam yn cysgu. Toes 'na ddim sôn am Dad eto fyth. Nesh i sôn wrth Anti T am fy theori damwain-ar-y-mynydd ond ddudodd hi 'Hy!' a snortio fel ceffyl, fel taswn i'n siarad nonsens.

'Ond lle *mae* o, 'ta?' medda fi

'Dwi'm yn gwbod, i sicrwydd, ond ma' gen i syniad go lew,' medda Anti T, mewn ffordd reit sinistr, fel ditectif sy wedi bod yn gneud ofyrtaim.

'Wel, *lle* 'ta?' medda fi.

Sgydwodd A.T. ei phen. 'Gad i ni neud yn siŵr fod dy fam yn iawn gynta. A'r babi hefyd. Sortiwn ni dy dad allan wedyn.'

19.45
Ddaeth Haydn â'r pebyll a'r geriach i gyd draw i'r gwesty. Wn i ddim sut oedd o'n gwbod bod ni yno.

'So'ch *tad* wedi bod ar gyfyl,' medda fo wrth Taylor. Dwi wedi blino'n arw iawn rŵan, a bron yn syrthio i gysgu dros …

Dydd Llun, Awst 24ain

18.37

Nôl adre ym Maes y Perthi. Pwy feddylia byddwn i'n falch o fod nôl yn y Lŵn-dŷ yma, ond mi rydw i. Mae o wedi bod yn ddiwrnod hir …

Syrthiais i gysgu ar ganol brawddeg neithiwr. Y peth nesa wyddwn i, roedd hi'n fore yn y gwesty, a Hayls yn cysgu wrth fy ochr i. Dyma digwyddiadau ddoe'n llifo drwy mhen i a wedyn gofish i am Dad. Ro'n i'n dal i deimlo'n flin hefo pawb am nad oeddan nhw'n poeni taten lle oedd o. *I mean*, hwyrach fod Aberystwyth yn llawn o gangstyrs a throseddwyr ofnadwy. Alla rhywun fod wedi'i gipio fo. Ti byth yn *gwbod*, nagwyt? Dyna ddudish i wrth Nain dros frecwast, ond toedd hi ddim yn gwrando. Eto.

Dwi'n licio brecwast gwesty. Mae o fel pryd *Harvester* lle fedri di fwyta gymaint medri di heb dalu ecstra. Toedd Nain ddim mor frwdfrydig.

'Ma' nhw'n sgimpio ar yr wyau 'ma, a hen beth rhad ydi'r sôs coch. Ac *am* y te, *wel!*' Trodd ei thrwyn ar weddillion ei phlât cyn troi ei sylw hi ata i a Hayls. 'A sut mae fy nwy siwgwr plwm bore 'ma?'

'Coco Pops!' meddai Hayls yn orfoleddus wrth weld mynydd brown o *cereal* mewn powlen. Ma' hi mor anwadal lle ma' bwyd yn y cwestiwn. Nesh *i*, ar y llaw arall, drafferthu i ateb Nain a chynnal sgwrs am o leia dri munud am y tywydd a phetha cyn i Nain ollwng ei bom (trosiadol):

'Dwi am ddod acw i aros, tan ma' dy fam yn teimlo'n well. Tydi hi'm yn ymdopi, ma'n amlwg ddigon.'

Nainrwydd! Am *24/7*! Ym … dwi'm yn meddwl. 'Nain, dwi'm yn meddwl fod hynny'n syniad da …'

'Pam ddim?'

'Wel … ym … efo Dad a ballu. Tydach chi mo'r ffrindia

gora, nac' dach?'

'Fydd dy dad ddim yma, na fydd?' medda Nain. 'Dim ar ôl hyn.'

Dyma pryd sonish i am y posibilrwydd fod Dad 'di cael ei herwgipio gan derfysgwyr, ond toedd 'na ddim perswâd arni.

'Ma'n ddrwg gen i, Sadie. Dwi'n gwbod fod o'n dad i ti, ond ma'r dyn fel *plentyn bach*!'

'Fydd o yna yn y 'sbyty bore 'ma. Dwi'n *siŵr,*' daerish i'n ôl. Ond to'n i ddim yn siŵr o mhetha, dim o gwbl.

Pan gyrhaeddon ni i'r 'sbyty oriau'n ddiweddarach (ar ôl tywallt dŵr oer dros Taylor i'w ddeffro fo) roedd Mam yn edrych fymryn yn fwy Mamlyd. Toedd 'na ddim sôn am Dad, a nath Mam ddim crybwyll y peth.

'Ga i ddod adre heddiw,' medda hi. 'Dim ond i rywun fod yna i helpu.'

Gynigiodd Nain ac Anti T eu gwasanaeth yn syth, a gwenodd Mam ei diolch.

'Ond Mam,' medda fi, 'fedra *i* edrych ar ych ôl chi, siŵr. Toes 'na'm rhaid i Nain aros, nagoes?'

'Mymryn bach fel ti? Na fedri, siŵr.' Roedd Nain yn benderfynol. 'Ar adeg fel hyn, ma' rhywun angen ei *mam*!'

A feddylish i mod *i* angen fy mam hefyd: fy mam Fuhreraidd ac annifyr arferol. Ond fedrwn i'm deud dim achos roedd 'na lwmp seis wy yn fy ngwddw, a dagrau'n nofio yn fy llygaid. Dyma fi'n rhedeg allan o'r stafell a mynd ffwl-pelt i frest Dad.

'Lle 'dach chi 'di *bod*?" medda fi, yn cydio ynddo fo fel tasa fo'n *rubber ring* ar fwrdd y Titanic.

Nath o ddim ateb, dim ond rhoi cwtsh tynn i mi, a gofyn lle roedd Mam. 'Chydig eiliadau wedyn, aeth pawb allan o'r stafell. Roedd rhaid i Anti T halio Nain gerfydd ei braich, ac mi welwn i hi'n dal i bwyntio bys a phrodio'r awyr a dwrdio wrth iddi neud. Gaeodd Anti Trace y drws ar ei hôl.

'Ma'n rhaid iddyn nhw gael cyfle i *siarad*,' meddai Anti T yn rhesymol.

'Tydyn nhw'm 'di gneud dim byd *ond* siarad … a dadlau … ers misoedd, a faint gwell ydi hi o hynny?' ofynnodd Nain.

Aeth Taylor a fi allan am awyr iach tra bod Nain yn stwffio 'E's' siwgwrllyd i geg fach fodlon Hayls. Adawon ni Anti Trace yn dal i sefyll, fel Rottweiler yn barod i ymosod, y tu allan i stafell Mam.

Yn sydyn, welish i gronc cyfarwydd Yncl Kenny yn y maes parcio.

'Be ma' car Yncl Kenny'n da yma?'

Edrychodd T. arna i fel taswn i'n hurt bost. 'O ty'laen sis, ma'n fflipin amlwg, laic.'

'Dim i mi,' medda fi, er mod i'n teimlo'r rhew yna'n llithro i'n stumog i eto.

'Twyt ti'm *isio* gweld, nagwt ti? Dim isio gweld bai ar Pops *druan*.'

'A be wyt ti? *Therapist* yn sydyn reit, ia?'

To'n i'm isio gwrando ar ei hen rwtsh o. Driish i fynd drwy'r drysau yn ôl i mewn i'r 'sbyty, ond tynnodd T fi'n ôl yn hegar.

'Dwi'n bell o fod yn *therapist*, Sadie, ond dwi *yn* gallu gweld bod Pops ddim yn angel. Ma' gynno fo fodan arall, toes? A ti'n gwbod hynny 'fyd, 'blaw bo' chdi ddim isio cyfadda, laic.'

'Nagoes ddim!' medda fi'n amddiffynnol, achos dyna ti *fod* i ddeud yndê?

'Yn *Cloud Cuckoo Land* wyt ti, Sade,' medda fo'n sbio arna fi fatha rwbath angen ei phitïo. 'Chdi a Mam.'

Wylltish i wedyn. 'A sut wyt ti'n *gwbod*, 'ta? Lle ma' dy brawf di?'

'Welish i nhw efo'i gilydd wthnos dwytha. Pops a chwaer cariad Yncl Kenny. Yn snogio fatha dau *teenager*.' Grychodd o 'i drwyn fel tasa 'na ogla drwg yn rhywle.

'Ti'n deud clwydda. Oedd Dad yn trio gneud i betha weithio. Ddoth o'n ôl, yn do?'

'Cachgi 'di o, Sadie.'

'A be wyt *ti* 'ta? *Os* gwelis di rwbath, pam na 'sat ti 'di *deud* wrth rywun? Wrth Mam?'

'A pam na fasat *ti*?' Drodd o'n sgwâr i sbio arna i. 'Welish i Jo. Jo dy *ffrind gora*, laic. Ddudodd hi wrtha i 'i bod hi 'di trio deud wrthat ti, ond nes di'm gwrando arni hi, naddo?'

'Trio swcro fyny atat ti ma' Jo. Ma' hi 'di ffansïo chdi ers blynyddoedd,' medda fi, ond ro'n i'n clywed fy llais yn swnio'n despret.

'*Whatever*,' medda Taylor, a rhyw hanner snortio arna i fel taswn i'n hogan fach bathetig. Dyma rwbath yn fflipio tu fewn i mi.

Yr eiliad nesa, ro'n i'n sbrintio draw at fan Yncl K a chyn i mi gael amser i feddwl nesh i ddechrau cicio a dyrnu'r car fatha banshi. Saethodd Yncl K allan o'r cronc a nghodi fi'n dalp o sgrechian a chicio, i'w freichiau.

'Hoi! *Cool 'ead* rŵan Sade. *STOPIA!*' medda fo ond o'n i'n dal i ddyrnu'r awyr fel tasa fo'n fag bocsiwr. Yn y diwedd, es i'n llipa fel cadach. Ollyngodd o fi i'r llawr.

'*Wel!* Dyna chdi *groeso!*' medda Yncl Kenny, yn trio jocian, ond roedd ei lais o'n crynu 'chydig hefyd.

'Lle ma' hi?' medda fi.

'Pwy?' Roedd o'n methu edrych i fyw fy llygaid.

'Y *peth* 'na sy efo Dad. Hi a'i chwaer hyll.'

'Tydyn nhw'm yma, Sadie. Aethon nhw adre bore 'ma.'

Roedd o'n trio cadw'i cŵl, o'n i'n gallu deud. ''Dach chi'n *ffiaidd*, y ddau ohonach chi!' Ro'n i'n poeri'r geiriau rwan. ''Dach chi'm byd gwell na dau hen ddyn budr!'

Droish i ar fy sawdl wedyn a mynd nôl at Taylor.

'Credu fi rŵan, laic?' medda fo, a wedyn, 'C'mon 'ta, gei di brynu coffi i mi yn y cantîn i ddeud diolch.'

Dyma fi'n gwenu mymryn. Ac er gwaetha'r ffaith mod i'n gwbod fod rwbath ofnadwy, ofnadwy wedi digwydd, rywsut o'n i'n teimlo'n well. Dwi'n meddwl mod i'n teimlo rhyddhad. Am unwaith, roedd gan Taylor y drong bwynt. Ella *mod* i'n gwbod, reit lawr yn ngwaelod fy stumog, ers amser hir, ond mod i ddim isio coelio'r peth.

Erbyn i ni fynd fyny i stafell Mam, roedd Terry wedi mynd (dwi'm isio'i alw fo'n Dad ddim mwy). Ro'n i'n reit falch, achos allen i fod wedi cael 'yn restio am y niwed o'n i isio'i neud iddo fo. Roedd llygaid Mam yn goch ond roedd hi'n urddasol iawn. Nath hi ddim crybwyll Terry o gwbl, na be oedd yn mynd i ddigwydd. Y cwbl nath hi oedd codi'i bag nos a deud 'Reit ta. Adra'.

Aeth Mam yn syth i'w gwely, a dwi'n fan'ma, yn lolian yn fy llofft, yn ystyried digwyddiadau'r penwythnos a chwestiwn *mawr* y dydd: sut, yn enw Tanni Grey-Thompson, allwn i fod mor ddall?

180

16.15

Bron yn ddiwedd y gwyliau'n barod, ac mi rydw i bellach yn ddi-dad. Sut daeth y newid mor gyflym? Ma' Mam, bellach, yn *mother-to-be* sengl. O hec, ella bydd rhaid i mi fynd i ddosbarthiadau anadlu efo hi, a hyd yn oed dal ei llaw hi yn ystod yr enedigaeth!

Ma' 'na ryw agosatrwydd, neu o leia meddalu o fath, wedi digwydd rhyngdda fi a hi yn ystod y dyddiau dwytha. Esh i â phanad i fyny iddi bore 'ma, i'w llofft.

''Dach chi'n olreit rŵan? Efo'r babi, 'lly?'

'Fasa'n well gen ti taswn i wedi'i golli fo?'

'Na fasa, Mam! Wir! *I mean*, tydi o ddim mo'r peth cŵliaf i ddigwydd, ond … wel … fydd o'n ocê.'

'Cŵliaf?'

'Gair Sadie.'

'O! Wela i.'

Am ryw reswm roedd hi'n meddwl fod hyn yn ddoniol. Adewish i i'r wên ddiflannu cyn gofyn y cwestiwn.

'Be ddudodd Dad ddoe?'

'Ddudodd o bod hi'n bryd i'r ddau ohonan ni wynebu be sy'n digwydd yn onest. A nesh i gytuno. 'Dan ni wedi trio'n galed *iawn* dros gyfnod *hir* i neud i bethau weithio.'

'Do?'

'Do, Sadie, a paid â sbio arna i fel'na. Oedd gen i feddwl y byd o dy dad. Wel … mi briodais i'r lolyn, yn do?' Roedd ei llais hi'n gynnes rŵan.

'Wedyn … dim … mistêc oedd o,' medda fi, 'priodi Dad.' Rhywsut o'n i'n ofni *tasa* fo'n fistêc, yna bydda Hayls a fi a Taylor yn fistêcs i gyd hefyd. Falle *bod* Taylor ond … Ma'n rhaid bod Mam wedi darllen fy meddwl.

'Sut alla fo fod yn fistêc, pan ma' gen i dri o blant mor

sbesial o ganlyniad?'

Dwy Mam, dwy! Toes 'na'm ffor' yn y byd y galla neb alw T yn sbesial.

'Ac ma'r un peth yn wir amdani hi neu fo,' medda hi'n patian ei bol. 'Tasa dy dad a fi heb drio'n *gora* i ail-ffeindio be oedd 'na rhyngddon ni, fasa'r babi bach 'ma ddim ar y ffordd.'

'Ond 'sganddoch chi ddim c'wilydd? Meddwl bod yn fam sengl? A chitha'n . . .'

'*Antique?* Nagoes. Pam? 'Sgen ti?'

'Chydig bach,' medda fi. O'n i'n teimlo bod hi'n well deud y gwir.

'Gwell i ti gael un rhiant hapus na dau sy yng ngyddfau'i gilydd, ti'm yn meddwl?'

'Ella,' medda fi'n cysidro'r peth. Ma'n wir fod lot o'r hen densiwn yna 'di diflannu dros nos. 'Wedyn, 'dach chi'n mynd i gael difors 'ta?'

'Gawn ni weld, ia?' Yr hen ateb-deud-dim eto.

'Lle … ma' Dad?' ofynnish i'n reit betrus, achos to'n i'm yn siŵr os o'n i isio clywed yr ateb.

'Ym …' medda Mam yn reit betrus hefyd.

Benderfynish i fod yn sdrêt. 'Mam, ma' gynno fo gariad, does?' Nodiodd Mam ei phen. 'Hen beth dena, fatha llygoden. A ma' hi'n dod o *Birmingham*!' Dyma'r sarhad mwyaf allwn i feddwl amdano fo.

'Ti 'di'i gweld hi?' Roedd Mam wedi synnu.

'Yn y steddfod. Ar y maes. Ond to'n i'm yn *gwbod*! Prun bynnag, tydi hi'm *patsh* arnach chi!' Roedd y ffyddlondeb newydd od yma tuag at Mam yn fy mhoeni fi braidd, felly mi godish i fynd allan.

'Rargian, ti'n prifio'n gyflym,' medda Mam. 'Tydi o ond funud yn ôl ers pan oeddat ti'n fabi dy hun. Duwcs, dwi'n cofio lle roeddan ni pan ges di dy …'

'Waaaaaaaa!' daeth sgrech o waelodion fy stumog jest mewn pryd. Dwi'm isio gwbod lle ces i fy 'ngwneud' *Gwneud* wir! Fel taswn i'n ddarn o gar ar lein ffatri. Diolch byth nad oedd ffasiwn y Beckhams am enwi plant ar ôl llefydd 'sbesial' wedi codi yn yr ardal yma. Neu hwyrach byddwn i'n Groeslon Wyn Jones. Neu'n waeth fyth, Penisarwaun!

Yn ffodus, crewyd gwyriad (fatha efo traffig) ar y pwynt yma pan ddaeth 'na glec anferthol a chyfarth hynod anniddig o gyfeiriad y gegin. Mi esh i lawr i archwilio. Roedd Nain ar ei glinia ar lawr yn codi sgons ar blât ond bod tair ohonyn nhw'n hongian o geg lafoeriog Elfis. Roedd Hayley'n trio dringo ar ei gefn o tra'n canu 'Gee ceffyl bach'. Amser i ddianc, feddylish i.

Wrth i mi gerdded i'r siop, bipiodd fy ffôn. Tecst gan Fflur. `Ble wyt ti? xx`

Yn sydyn nesh i deimlo panic yn codi. Yng nghanol straffîg y dyddiau dwytha, dwi'm 'di cael fawr o amser i feddwl am neb arall, ond rŵan dyma fi'n sylweddoli y basa'n rhaid *deud* wrth bawb am M a D, a'r babi a phob ofnadbeth arall. Ond fedra i mo'i wynebu o eto. Ac eniwê, sut ma' Fflur, efo'i theulu perffaith, yn mynd i ymateb pan glywith hi am lanast trasig 32 Maes y Perthi? *I mean*, ma'n gneud i Nerys Kathryn ymddangos yn opsiwn llawer gwell fel ffrind! A pha obaith efo Caron ar ôl hyn? Nid 'i fod o isio bod yn gariad i mi p'run bynnag, ond … Er! Mi nath o sôn am y gìg hefyd. *Y gìg!* Anghofish i bopeth … Sut aeth hi, tybed? Pwy allwn i ffonio? Neb! Toes gen i ddim ffrindia – rwy'n amddifad, yn unig ….

Rhyw fwydro blêr yn fy mhen fel hyn o'n i, tra'n powlio mynd am y siop, pan glywish i lais yn gweiddi.

'Hoi! Hogan ddiarth!'

Neidiodd fy nghalon i tua 62 troedfedd i'r awyr am nano-

183

eiliad oherwydd mod i'n meddwl mai Caron oedd yna. Mistêc, wrth gwrs! Tydi Caron ddim yn siarad Gog yn un peth. Gafyn oedd yn gwenu arna i. Rhyfedd mod i 'di'i gymysgu fo efo Caron, hefyd. Tydyn nhw'n ddim *byd* tebyg.

Prun bynnag, roedd gweld Gaf fel ateb i weddi gan y Bod Mawr. Gaf oedd *jest* pwy o'n i angen. Gymaint felly nesh i gydio'n dynn ynddo fo a rhoi sws glec ar ei foch. Aeth G fymryn yn fflamgoch o gwmpas y clustiau.

'Ty'd, awn ni i Caffi Ni yn dre,' medda fi, wedi ecseitio'n sydyn.

'Caffi Ni? Ond mae o wedi cau, 'ndo?' medda G gyda gwên.

'Wedi cau?'

'Ti'm 'di clywed? O'n i'n meddwl y basat ti o bawb yn gwbod. Don Panad wedi ffeindio cariad ar y we, ac wedi mynd i Rwsia i'w nôl hi!'

'*Rwsia!* Ydi hi'n siarad Cymraeg 'ta?'

Dyma Gaf yn sbio arna i fel taswn i'n hanner call. 'Faint o wersi Wlpan sy 'na yn Mosco ti'n meddwl, Sade?' medda fo'n goeglyd.

Aethon ni lawr am y traeth yn y diwedd a chael hufen iâ. Rhyfedd. Dwi byth yn mynd lawr i'r traeth y dyddia yma. Mi fydda Jo a Gaf a finna'n byw ac yn bod yma erstalwm.

'Ti 'di … clywed … ym … gan Jo?' ofynnish i'n ofalus.

Sugnodd Gaf yr anadl yn dynn i'w geg. ''Di gneud stomp braidd o betha'n fan'no, yn do?' Ond ro'n i'n gweld fod 'na gysgod o wên o gwmpas ei lygaid o.

'Ti'n meddwl gneith hi faddau i mi?' ofynnish i.

'Dwi'n siŵr ddowch chi i ddallt eich gilydd,' medda fo'n ddiplomatig.

Siaradish i am *oria* wedyn. Mi wn i hyn oherwydd bod Gaf wedi gofyn i mi yn y diwedd os oedd genod yn cael gwersi dal eu gwynt yn 'rysgol feithrin er mwyn iddyn nhw

184

allu parablu am 12 awr heb sdopio!

'Sori,' medda fi yn y diwedd, a ddechreuish i chwerthin, damaid bach yn obsesiynol rhaid cyfadda. Dwi'n meddwl mod i wedi rhoi braw i Gaf achos ddudodd o fod o'n gorfod mynd.

'Mynd i bysgota wyt ti?' medda fi.

'Ym … na,' medda fo, a chochi eto. Dwi'm yn meddwl fod o isio cyfadda bod ganddo fo *thing* am bysgod!

'Ddo i efo chdi rwbryd,' medda fi, ond toedd Gaf ddim yn gwrando. Deud y gwir, mi aeth o ar fymryn o frys.

Ond dwi *mor* falch mod i wedi'i weld o. Dwi'n teimlo'n ysgafn braf wedi cael dadlwytho a rhannu *rwtsh* yr wythnosau dwytha 'ma efo *rhywun*. Fflip, dwi'n lwcus o Gaf. Yndw wir! O leia ma' gen i un ffrind gwerth ei gael.

17.46

Dwi'm 'di ateb tecst Fflur eto. Wn i ddim be i neud. *I mean*, ma' hi'n siŵr o glywed, tydi? Hwyrach ro i alwad iddi … Ond be os 'di Caron yn ateb? Wel, ffonia i ei mobeil hi 'ta. Pam fod y Bod Mawr yn creu'r sefyllfaoedd cymhleth yma'n arbennig ar fy nghyfer i, dro ar ôl tro?

18.12

Wedi ffonio. Fflur atebodd. Roedd hi braidd yn oeraidd efo fi (a fedra i mo'i beio hi) ond eniwê, 'dan ni'n cyfarfod fory. A dwi ddim yn edrych mlaen. Oedd hi'n werth ei ffonio hi achos oedd ganddi un eitem gynhyrfus o newyddion! Chafodd *Miri Awst* mo'i gynnal – y ffermwr yn gwrthod rhoi'i ganiatâd achos fod y cae mor wlyb. *Ond* … mae o mlaen y penwythnos nesa yma yn lle hynny. Hip hip ayb! A dyna'r tro cyntaf i mi ddeud hynna ers oes pys!

185

Dydd Mercher, Awst 26ain

11.45

Ar fy ffordd i dŷ Fflur. Wedi paratoi *jest rhag ofn* bod Caron
yna. Ges i fath a di-flewio a rhoi masg mwd (un go iawn tro
'ma) a thynnu'r ciwticyls yn ôl ar fy ngwinedd. Wedi
meddwl, dwi'm yn siŵr os ydi hynny ar dop rhestr hogia o
'bethau i'w ffansïo'. Ti byth yn clywed neb yn deud ''Nes i
syrthio mewn cariad efo dy giwticyls di,' nagwyt? Dwi'n
gwisgo fy shryg lliw plwm ar ben fest efo brodwaith a
sparcyls arian arni hi, a jîns tri-chwarter, a fflip-fflops piws.
Dwi'n edrych gystal ag y medra i, wedyn hei lwc.

11.47

Ella fydd o'm yna p'run bynnag … ond gobeithio bydd o. A
gobeithio fydd o ddim hefyd achos wedyn beryg y clywith o
am fy nheulu lŵnaidd a neidio allan trwy'r ffenest i ddianc
rhagddo fi. A Fflur ar ei ôl o. O *och*!! Eniwê, dwi'n mynd rŵan.

18.46

Roedd Fflur yn grêt. Dyma fi'n eistedd a deud yr holl hanes
wrthi heb sdopio ac yn y diwedd ddudodd hi, 'Pam na wedes
di o'r blân?'

Dyma fi'n mwmian rwbath am fod â chywilydd, a dyma
Fflur yn deud bod hi'n nabod *llwyth* o bobl yng Nghaerdydd
sy efo rhieni wedi ysgaru.

'Ie, ond fetia i nad ydyn nhw cweit mor lŵnaidd â nheulu fi!'

'O, fi'n credu'u *bod* nhw!' medda hi yn gwenu'n slei, a
wedyn ddudodd hi stori am gyfarwyddwr ffilm yng
Nghaerdydd a'i obsesiwn efo peiriannau torri gwair. Yn ôl
Fflur, ma' ganddo fo 23 ohonyn nhw, er mai dim ond maint
hances boced ydi'i lawnt o.

'Un dwyrnod, nath ei wraig e benderfynu trimio'r gwair a phan

186

dda'th e gatre a'th e'n wyllt a'i thaflu hi mas ar y stryd. A phan a'th hi'n ôl i gael ei dillad a phethe, roedd e wedi'u strimio nhw!'

O'n i'n teimlo'n llawer gwell ar ôl clywed hynny. Ma'n gneud i Mam a Dad ymddangos *bron* yn normal.

'So Mami a Dadi *wastod* wedi bod yn hapus whaith,' medda hi, yn ddistawach y tro hwn. 'Wy'n credu bod Dad wedi ...' Stopiodd hi'n stond wedyn wrth i Teleri ddod i'r gegin.

Gaethon ni ginio allan yn yr ardd, gan bod hi'n braf. Salad oedd o, ond salad ofnadwy o posh. Wyddwn i ddim fod 'na letys o'r enw roced! Roedd Teleri'n fy holi i'n dwll am yr ysgol, gan bod hi'n mynd i fod yn dysgu yno 'leni. Nesh i drio ngorau i fod yn glên am bobl, ond roedd o'n dipyn o straen gan fod yr athrawon bron i gyd yn *aliens* cas a chreulon.

'Ti'n olreit am dy fam yn dysgu'n yr ysgol rŵan?' ofynnish i wrth Fflur tra bod ni'n dwy yn llwytho'r peiriant golchi llestri.

Sgrwnsiodd Fflur ei hwyneb yn belen fach, a sibrwd 'Nagw. Dim wir. Ond sdim lot o ddewis 'da fi.'

'Fyddi di'n iawn,' medda fi yn fwy pendant nag o'n i'n deimlo. Ma'n ysgol ni yn gallu bod yn lle reit beryg, os ydi rhywun ddim yn dy licio di. A ma' pobl yn cymryd yn dy erbyn di am bob math o resymau gwirion, fatha steil dy drowsus, neu liw dy bolish gwinadd. Mi fydda bod yn Ffrindiau Efo'r Gelyn (h.y. yr *aliens*) yn fater difrifol. O hec, nesh i ddim 'styried hynny tan rŵan. Be os dwi'n cael 'y ngalw'n swot neu'n llyfwr tin 'mond achos mod i'n ffrindiau efo merch athrawes? Ma'n amlwg fod Fflur yn meddwl yr un peth hefyd, achos ddudodd hi, 'Ry'n ni'n dal i fod yn ffrindie, yndŷn ni? Ti'n gwbod, so Mami a phethe'n mynd i effeithio 'nny?'

Ddudish i 'wrth gwrs bod ni'n fêts' mewn modd joli iawn, a newid y pwnc yn sydyn.

'Ym ... lle ma' Caron heddiw?' ofynnish i.

'Sa i'n gwbod. Mas yn rhywle.'

'Ydi o'n olreit? Ysdi, ar ôl gorffen efo'r ferch Anest 'na?'

'Odi. Fi'n credu. Ti moyn gêm o *Jenga*?'

A dyna'r cwbl gesh i. O'n i'n torri *mol* isio clywed ei hanes o, jest rhyw smij fach o newydd, a chesh i ddim *byd* gan Fflur! Tybed os ydi hi wedi dallt mod i'n ei ffansïo fo, a ddim isio cyfadda? Hwyrach bod Caron yn gwbod hefyd, a bod y ddau yn cael laff iawn amdana i! Dwi wedi fflamgochio jest wrth *sgwennu* hyn. O'r ffasiwn gwilydd tasa fo'n wir! Fydda rhaid i mi newid fy enw a symud i ynys bell lle ma' nhw'n byw ar goconyts a mwyar duon.

Dwi'n mynd i orwedd ar fy ngwely'n dawel achos dwi'n teimlo 'chydig yn od rŵan, a newydd gael pendro. Gobeithio nad ydw i'n cael *breakdown* oherwydd yr holl straen.

21.41

Ma' Dad newydd fod yma. Wedi bod a wedi mynd mewn hanner awr. Roedd o'n deimlad ofnadwy o od.

Am wn i fod rhaid iddo fo ddod rywbryd, jest i nôl sana a thronsia a ballu. Nath o ddim dweud fawr o ddim, a bod yn onest. Jest dod i'r drws, a *chnocio*. Dyna oedd y peth odiaf un. Dad yn cnocio i gael dod i mewn i'w *dŷ ei hun*!

Aeth Taylor ar ei ben i'w lofft a chuddio tu ôl i'w fiwsig bwm-bwm. Gydiodd Nain yn ei chardigan a mynd allan i'r ardd. Ar Hayls ma' hi waetha wrth gwrs, achos tydi hi'm yn dallt be sy'n mynd mlaen. Aeth hi at Dad yn y llofft, a phan welodd hi fo'n tynnu cês allan, neidiodd hi i mewn a chyhoeddi bod hi'n 'mynd ar drip efo Dadi' . Pan dynnodd Dad hi allan, a deud bod 'Dadi'n mynd ar drip ar ei ben ei hun' gath hi strancs gynddeiriog. Mae fel tasa hi'n gwbod *heb* wbod yn iawn chwaith, os ydi hynny'n gneud sens.

Arhosodd Mam yn y stafell fyw tra oedd o'n pacio, yn sbio'n galed ar foi ar y teli'n dangos y ffor ora i dynnu perfedd brithyll, ond dwi'm yn meddwl fod hi wedi clywed gair oedd o'n ddeud.

To'n i'm yn gwbod lle i fod, fyny'r grisia efo Dad neu lawr efo Mam. Deud y gwir, do'n i ddim yn siŵr os oeddwn i'n dal i siarad efo Dad. Wedi'r cyfan, roedd o wedi'n twyllo ni i gyd, yn doedd? Dim jest Mam. Prun bynnag, os oeddwn i'n mynd i'r llofft at Dad mi fydda fo'n teimlo fel taswn i'n ochri hefo fo, ond wedyn taswn i'n mynd i lawr at Mam, mi fydda hynny jest 'run fath. Mi faswn i'n ffafrio un be bynnag o'n i'n neud. Ella mod i, ran hynny. Achos *Mam* sy 'di cael ei gadael, yndê, a Dad sy'n potsian efo dynas arall. (Deud y gwir, ma' hi'n debycach i hamster na dynas, ond mater arall 'di hynny.) Er gwaethaf eithafion Fuhrer-aidd Mam, arno *fo* mae'r bai. Pam arall fasa fo wedi deud 'sori' pan nesh i benderfynu mynd ato fo i'r llofft yn y diwedd?

'Ddylia bo chi hefyd,' medda fi'n ôl. ''Dach chi'n *disgusting*.'

'Sadie, paid â siarad fel'na! Yli, ma' dy fam a finna wedi bod yn ffraeo ers amser hir, ti'n gwbod hynny …'

'Peidiwch â beio Mam …'

'To'n i'm yn mynd i neud. Ma' dy fam yn berson sbesial iawn.'

'Pam bo' chi'n gadael hi 'ta?'

'Achos 'dan ni'n gneud ein gilydd yn anhapus. Dwi'm yn gwbod pam ond dyna 'di'r gwir. 'Dan ni'n gadael ein *gilydd,* Sadie.' A wedyn ddudodd o, 'ond nawn ni byth adael chi'r plant.'

'Ie. Reit!' medda fi, ac o'n i'n gallu teimlo'r dagrau'n bygwth a ngwddw i'n tynhau.

Driodd o roi cwtsh i mi wedyn, ond o'n i'n gwrthod gadael iddo fo neud. Dyma fi'n gwingo o'i afael o, a dod i'r llofft i gyrlio o dan y dwfe. O fan'no glywish i ddrws y ffrynt yn cau a'r injan yn tanio.

Dwi'm wedi crio'n iawn tan rŵan. Ond roedd heno'n teimlo fel Y Diwedd efo D fawr iawn, a dwi'n gwbod na fydd petha fyth yr un fath eto. Dagrau mawr sblojlyd tew sy'n disgyn, ac ma' 'na beryg iddyn nhw redeg ar hyd y papur 'ma, felly dyna ddigon o sgwennu am heddiw.

Dydd Iau, Awst 27ain

20.19

Ma' Nain yn dechrau yspetio'r cymdogion, a tydi hi ond wedi bod yma pum munud! Y broblem ydi fod hi'n *mynnu* deud wrth bawb sut i neud pethau. Fuodd 'na ddadl benboeth dros y ffens efo Nicky bore 'ma am bethau llnau, ac yn benodol stwff llnau ffenestri. Yn ôl Nain, 'nonsens pur' ydi gwario 'hanner dy gyflog' ar 'boteli ffansi' pan 'neith finag a phapur newydd y tro yn tsiampion'.

Gleciodd Nain ei thafod a throi i fynd yn ôl i'r tŷ, ond roedd Nicky'n dal i gorddi ac yn awyddus i ddial.

'Ydi Glen yn olreit?' ofynnodd hi, ac roedd 'na rwbath slei yn ei llais hi, yn cuddio o dan y cwestiwn.

'Nefar betar,' medda Nain gan droi i sbio arni'n sgwâr. Roedd y ddwy ohonyn nhw fatha dau gowboi ar fin trio saethu'i gilydd.

'Dim ond ddoe o'n i'n deud wrth Vince nad oeddan ni wedi gweld Terry ers dyddiau. Gweithio ffwr', yndi?' Roedd Nicky'n mwynhau ei hun i ŵan.

'Nac'di,' medda Nain yn sdowt. 'Wedi mynd ma'r mwngrel, a gwynt teg ar ei ôl o. Ac os nad wyt ti isio i'r *beefcake* o ŵr 'na sy gen ti fynd yr un ffordd, faswn i'n rhoi sdop ar dy hen fusnesa, a hynny'n reit handi. Tydi dynion ddim yn licio trwyn, weldi! Tyrd Sadie, i'r tŷ.' A throdd ar ei sawdl yn smart ac i mewn i'r gegin gefn.

'Fflipin hec, Nain,' medda fi wrthi. ''Dach chi fatha Anne Robinson.'

'Pff! Faswn i'n llorio honno, dim problem,' atebodd hi, yn llyfu'i gwefusau.

Dwi'n rhagweld mwy o broblemau efo Nicky B.o.N. os ydi Nain am aros am sbel. A dyna beth arall sy'n fy mhoeni i. Am faint *neith* hi aros? Dwi'm isio bod yn anniolchgar, ond ma' hi'n gneud i Mam ymddangos fel Bambi. Gesh i air efo Anti Trace am y peth yn *Macsi* pnawn 'ma. Toedd hi'm yn swnio'n rhy obeithiol.

'Y peth am Nain ydi bod hi'n licio sdicio efo petha,' medda hi. 'Ma' hi'n reit benderfynol pan ma' ganddi hi brosiect ar y go.'

'Ond nid *prosiect* ydi Mam!' medda fi.

Gwenodd Anti Trace. 'Waeth i mi fod yn onest efo ti ddim. Tydi hi rioed wedi bod yn *ffond* iawn o dy dad, a rŵan bod pethau wedi mynd yn ffliwt, ma' hi'n gweld ei chyfle.'

'Ei chyfle? Ei chyfle i be?'

'Wel, ma' hi'n reit unig yn Stiniog, yn byw ei hun. Os na fydd dy fam yn ofalus, fydd hi wedi symud i mewn cyn iddi droi.'

Dyma fi'n llyncu mhoer yn sydyn, mewn braw. A phan ddois i adre heno, dyma 'na dacsi yn sdopio y tu allan i'r tŷ, a daeth Nain allan efo honglad o gês mawr, a llond basged o blanhigion.

'To'n i ddim isio iddyn nhw farw os dwi'n mynd i fod yma am *sbel*,' eglurodd hi wrtha i.

'Faint ydi sbel?' medda fi'n bryderus.

'Wel … wyddost ti . . .' atebodd hi'n amwys gan fflytran ei llaw i gyfeiriad rhyw ddyddiad ymhell yn y dyfodol, pan fydd hi'n barod i fynd adre.

M'arna i ofn, gwir ofn, bod Nain yn perthyn i deulu'r chwyn: h.y. dim ots faint wyt ti'n eu halio nhw i fyny wrth y gwreiddiau neu'n tywallt stwff lladd arnyn nhw, ma' nhw *wastad* yn dod yn eu hôl …

21.34

Cymaint yw fy mhryder am Nain y Chwynsan, anghofish i sôn am weddill newyddion y dydd. Yn gynta, mae Ange wedi dyweddïo. Tydi Gary ddim yn gwbod hyn eto ond ma'

Ange wedi penderfynu drosto fo, ac wedi gweld y fodrwy berffaith a phob dim.

'Tydi hi'm yn un rad o Argos chwaith,' medda hi. 'Ma' hi yn H. Samuel. Efo tri diemwnt arni.'

Yn ôl proffwydoliaeth Carol, ma' 'na fwy o siawns i eliffant ddysgu'r anthem genedlaethol nag i Gary briodi Ange, ond ma' hi'n dal i feddwl yn bositif. Ma'n rhaid i ti edmygu hynny yn rhywun. Chwarae teg iddi am fod mor benderfynol a chadarnhaol ... Boncyrs cofiwch, ond positif!

Y newyddion arall ydi mod i wedi gweld Nerys Kathryn wrth ddisgwyl am y bws adre heno. Dyma hi'n martsio'n syth ata i a deud 'Gobeithio bo' chdi'n hapus rŵan! Ti 'di cael be oeddat ti isio 'ndo?' ac yna fartsiodd hi o'no ar ei hunion, cyn i mi gael cyfle i ofyn iddi am be goblyn oedd hi'n sôn. Yr hen lwmp wirion iddi hi!

Dydd Gwener, Awst 28ain

13.27

Ges i wbod yn reit handi beth oedd wrth wraidd strop Nerys K.

Bore 'ma, tua 10, daeth Jo draw i'r tŷ. O'n i'n gwbod ei bod hi o ddifri achos tydi hi ddim yn un i godi o'i gwely heb fod rhaid. Dyma Nain yn ei hebrwng hi i'r llofft.

Nesh i jest sefyll yna am eiliad heb ddeud dim. Yn rhannol achos mod i wedi cael cymaint o sioc ei gweld hi, ac yn rhannol achos mod i'n teimlo'n euog. Ers y penwythnos, a'r sgwrs yna efo Taylor, dwi 'di bod yn trio anwybyddu'r hen deimlad annifyr yma oedd gen i am Jo. Y gydwybod yn pigo, falle. Wedi'r cyfan, roedd hi wedi dod i ddeud y gwir wrtha i. Dwi dal ddim yn siŵr iawn pam, ond chafodd hi fawr o groeso, naddo? Ro'n i ar fai, a hwn oedd cyfle Jo i ddial.

Ond nath hi ddim. Mi eisteddodd ar ymyl y gwely, a phlethu'i dwylo'n dwt, cyn deud 'Reit. Ma'r ysgol yn cychwyn wthnos nesa a tydw i ddim isio cario'r hen ffrae yma i mewn i Flwyddyn 9. Wyt ti?'

Sgydwish i fy mhen. Ro'n i mewn gormod o sioc i ddeud gair. Ers pryd galliodd Jo a throi'n oedolyn rhesymol? Gariodd y Jo Aeddfed newydd yn ei blaen.

'Fel hyn dwi'n ei gweld hi, Sadie. Ma'r ddwy ohonan ni ar fai, a dwi'n gwbod bellach dy fod ti wedi cael amser andros o giami dros yr haf a ma'n wir ddrwg gen i am hynny … A! A!' Gododd hi ei llaw i roi taw arna i achos fod fy ngheg i'n agor i ddeud rwbath. 'Gad i mi orffen! Dwi isio i ti wbod fod croeso i ti gael Caron: toes gen i ddim mymryn o ddiddordeb ynddo fo bellach. A dwi'n falch fod gan Fflur ffrind gystal hefyd …'

Ro'n i wir yn dechra poeni. 'Wyt ti'n teimlo'n olreit, Jo?'

193

ofynnish i pan sdopiodd hi i gymryd ei gwynt.

'Yndw. Berffaith. Pam?' Roedd 'na wên od ar ei hwyneb.

'Wedyn 'dan ni'n dwy yn dal i fod yn fêts? Jest fel yr hen ddyddia?' medda fi'n obeithiol.

'Wel, ti'n ffrindia efo Fflur rŵan, twyt?'

'Yndw, ond…'

'A twyt ti'm isio'i gadael hi lawr. Ma'n swnio fatha bod hi wedi cael amser ciami yn ei hen ysgol.'

'Ma' Fflur yn hogan andros o neis, ond … wel … tydan ni'm yn cael cymaint o hwyl ag oeddan ni'n dwy. Eniwê, fydd hi'n *ennill* mêt yn bydd, yn lle colli un?'

'Be ti'n feddwl?' Tro Jo oedd hi i edrych yn ddryslyd.

'Wel,' medda fi, yn simsanu fymryn. 'Meddwl o'n i … gan bod ni'n ffrindia eto … ym … a welish i Nerys Kathryn ddoe efo gwyneb tin, felly dwi'n cymryd bo' chdi wedi'i dympio hi a Catrin … a ….'

'Dympio hi?'

'Os 'dan ni'n nôl yn ffrindia fyddi di'm isio bod efo nhw, na fyddi? Fydd petha'n mynd nôl *jest* fel oedden nhw. Y ddwy ohonan ni, a Gaf … a Fflur hcfyd rŵan …'

Roeddwn i'n parablu fatha rwbath gwyllt, ond aeth Jo yn dawel iawn. Nesh i gau ngheg mwya sydyn a disgwyl iddi ddeud rwbath, achos doeddwn i ddim yn siŵr be oedd yn bod.

'Fedar petha ddim jest mynd *nôl* fel oeddan nhw, Sadie,' meddai hi o'r diwedd. 'A beth bynnag, fydd Gaf a fi isio amser ar ben y'n hunain . . .'

Doedd gen i ddim syniad mwnci am be oedd hi'n sôn. Oedd Jo yn gwenu arna i rŵan, a golwg smỳg ar ei wyneb hi, ac o'n i'n gallu teimlo petha'n mynd clic-clic-clic yn fy mhen i, fatha tu mewn cloc.

'Chdi … a *Gaf*! … Ers *pryd*?' Ro'n i mewn sioc. Eto.

'Cwpwl o wythnosa. Ti 'di bod yn rhy *brysur* i ddeall.'

'Wel, *ma*' fy nheulu i newydd chwalu, 'cofn bo' chdi'm 'di sylwi!' Ro'n i'n dechrau teimlo bechod mawr drosta fi fy hun rŵan.

'Do, dwi'n gwbod. A dyna pam ddoish i draw. Dwi'm isio i chdi a fi fod yn ffraeo, ar ben popeth arall. Ac oedd Gaf yn meddwl mai dyma oedd y peth gora i neud hefyd.'

'A *Gafyn* sy'n gneud dy benderfyniadau di rŵan, ia?'

'Paid â bod yn annifyr,' medda Jo, yn dawel a rhesymol. 'Well i mi fynd,' medda hi wedyn. 'Dwi'n mynd i'r dre efo Gafyn ... Wela i di nôl yn rysgol wythnos nesa. Ond efo Gaf fydda i rŵan, beryg. Gan fod o'n *gariad* i mi.'

Ro'n i'n teimlo ngheg yn lolian agored fel trap pryfaid.

JO a GAFYN?!! Ma'r peth yn amhosib. Ac yn *rong!* Mêt ydi Gaf, 'run fath â Jo. Tydi ffrindiau ddim i fod i droi'n gariadon. Ych a fi, ma'r peth yn codi pwys arna i. Fy ffrindiau *gora* i *yn* gariadon! Dwi'n teimlo'n reit sâl ...

A dwi'n teimlo rwbath arall hefyd. Dwi'n teimlo'n ofnadwy o unig. Fel tasa'r byd i gyd wedi paru, a ngadael i ar ôl. Fel tasa pawb wedi llyncu ffisig tyfu fyny, ond 'i fod o 'di gorffen cyn i mi gael joch ohono fo. Yn sydyn reit dwi'n teimlo tua tair oed, fel taswn i yn rysgol feithrin a bod pawb arall wedi hen fynd adre, ond ma' rhywun wedi anghofio fy nghasglu fi.

18.45
Esh i am dro yn y diwedd. Toedd 'na ddim pwynt cicio sodla'n y llofft, yn teimlo fel marw. Waeth i mi neud hynny yn yr awyr agored ddim. Nesh i feddwl mynd i loncian – hwyrach y byddai *regime* newydd yn beth da. Hyd yn oed os ydw i'n unig ac yn gyff gwawd yr ysgol, allwn i fod yn fersiwn deneuach o hynny. Ond toedd gen i'm mynadd. Llusgo fy hun drwy Goed Llan o'n i pan welish i Caron o bawb.

'Hai Sadie,' medda fo, ac edrych o'i gwmpas am rwbath i ddeud. Yn y diwedd, ddudodd o: 'Ym … glywais i 'bytu dy rieni di.'

Roedd o'n edrych yn *embarrassed*. Wel, dyna'i diwedd hi rŵan, feddylish i. 'Grynda, fi *wir* yn sori.' Ac roedd ei wyneb *mor* annwyl (a sgrymlyd) nesh i ddechrau crio. Wir! A toedd o ddim yn grio del chwaith: crio snotlyd gwlyb, hallt sy'n chwyddo dy drwyn di ac yn gadael dy wyneb di'n goch ac yn blotshlyd. Trwy'r crio ro'n i'n mwydro mlaen am Mam a Dad a Jo a Fflur a Gafyn a dyn a ŵyr be arall. A thrwy'r amser o'n i'n meddwl 'Sdopia, Sadie! Sdopia rŵan! Ma' hyn yn hunanladdiad carwriaethol! Ma' hyn yn boncyrs bost!' Ond to'n i'n methu sdopio'r peth o gwbl, ac o'n i'n *dal* i grio a dal i fwydro, nes ddechreuish i'r igian yn y diwedd. Ar ôl tua 4 diwrnod o hyn, lleddfodd y crio i lefel griddfan ysgafn, a godish i mhen i wynebu Caron.

Roedd Caron yn dal i sefyll yn stond efo un llaw wedi'i hymestyn tuag ata i mewn rhyw ystum despret i'n sdopio fi. Wrth ei draed roedd Llew y labrador yntau'n berffaith llonydd, a'i ben ar un ochr, fel tasa fo'n trio dyfalu pwy goblyn greodd y fath lŵn.

'Ssss-ori … hic!' medda fi.

Sgydwodd Caron ei ben. Roedd yr arswyd yn amlwg yn ei lygaid. 'Ym … paid â becso,' medda fo. 'Sbos bod e'n well i ti grio. Cael e mas.'

'Sss … ori,' medda fi eto. Nid jest lŵn felly, ond lŵn sy'n methu siarad.

'Ti moyn … ym … mynd am ddishgled … i rywle?' ofynnodd o. Dyma fi'n ysgwyd fy mhen. Ysdi, pam faswn i'n gneud pethau'n waeth eto?

'Na. Mmma'n iiiawwn. Hic,' nadish i. Welish i Caron yn mynd yn llipa efo rhyddhad. Ddisgynnodd ei law o at ei ochr, ac yn sydyn, gwawriodd realiti be oeddwn i newydd ei

196

neud. Droish i ar fy sawdl a rhedeg fel milgi yr holl ffordd adre.

Fedra i ddim credu y gallwn *i* hyd yn oed neud rwbath mor drychinebus. Ma' mywyd i ar ben. Dwi'n mynd i tsiecio mewn i'r lŵndy agosa ben bora Llun. Dwi'n amlwg yn dioddef o gyflwr seiciatryddol difrifol …

22.17
Daeth Nain i siarad efo fi, yn llawn consýrn achos mod i heb gyffwrdd yn ei chips cartre hi amser te.

'Dwi'n galaru,' medda fi. 'Am fy mywyd a phopeth y gallai o fod wedi bod.'

Dyma fi'n egluro wrthi be oedd wedi digwydd ac eisteddodd Nain yn dawel, yn gwrando'n astud. Ar y diwedd agorodd hi'i cheg. Ro'n i'n gobeithio am ronyn *bach* o gydymdeimlad, gair o gyngor, *unrhywbeth* i neud petha'n well. A be gesh i? '*Love is like a mutton chop. Sometimes cold and sometimes hot.*' Oes 'na ryfadd o gwbl, mewn difri calon, mod i fel ag yr ydw i?

Dydd Sadwrn, Awst 29ain

15.10

To'n i ddim yn mynd i fynd. I be? Pan ma' dy ffrindiau
gorau di bellach yn gariadon a ddim isio ti o gwmpas, pan ti
'di ymddwyn fel drong o flaen y Duw Rhyw, pan ti'n aelod
o'r teulu gwirionaf yn y byd, yn y bydysawd fwy na thebyg.
Jest ildia, Sadie, feddylish i. Derbyn dy ffawd. Mi rwyt ti'n
lŵn, a lŵn *fyddi* di. Amen, bocs pren. Ac yna ganodd fy
ffôn.

Fflur oedd yna, yn joli i gyd, yn gofyn be o'n i am wisgo
i gìg *Miri Awst* heno.

'Dwi'm yn mynd. Gen i boen bol.'

'Dere,' medda hi. 'Fi'n siŵr taw dyma jest be ti angen.
Noson mas! Bechgyn pert!'

Yr eiliad yna, y cwbl o'n i angen oedd trawsblaniad
ymenyddol.

'Dwi 'di rhoi'r gorau i hogia,' medda fi'n bwdlyd.

'Ma' Caron yn gweud bydd llwyth o'i ffrindie fe yno.
Falle taw heno yw'r noson!'

'Ma' dy frawd yn mynd?'

'Ydi. O'dd e'n gofyn bore 'ma a fyddet ti yno. Nag o'dd
e moyn i fi fod ar 'y mhen fy hunan, wy'n credu. O *plis* der!
Fydd e ddim 'run peth hebot ti.'

''Na i feddwl am y peth.'

'Ffona fi'n ôl pan fyddi di wedi penderfynu beth i wisgo.'

Penbleth. To'n i'm isio siomi Fflur a gneud gelyn o'r unig
ffrind oedd gen i ar ôl, ond to'n i'm yn siŵr a faswn i'n gallu
goroesi mwy o strach. Dyma fi'n llusgo fy hun draw i stafell
Mam. Ma' hi'n edrych llawer gwell erbyn hyn, er bod hi dal
fymryn yn ddelicet. Roedd Hayley'n chwarae efo Barbie ar
y gwely.

'Barbie bynji wiiiiiii!' medda H gan daflu'r ddoli druan ar

y llawr, cyn ei chodi hi'n ôl. Nath hi hyn 39 o weithiau yn ystod y sgwrs.

'Be sy?' ofynnodd Mam.

'Dim.'

Ro'th hi olwg dwi'n-gwbod-yn-well i mi, a chyn i mi droi rownd ro'n i wedi rhannu'r holl stori efo hi. Gwenodd Mam.

'Tydi o'm yn ddigri,' medda fi. 'Ma' mywyd i ar ben.'

'Paid â bod mor felodramatig,' medda Mam. 'Yli, be arall nei di heno?'

'Ista yn fy stafell yn cael trawma.'

'A pha les neith hynny? Ma'n rhaid i ti wynebu pawb yn yr ysgol wthnos nesa prun bynnag. Waeth i ti gael o allan o'r ffordd rŵan ddim. A *hwyrach* ffeindi di fod pethau'n well nag wyt ti'n feddwl.'

'Ella.'

Dyma hi'n sbio ar y cloc. 'Cer rŵan, reit handi. Dim ond pedair awr sy gen ti i bincio,' meddai gan chwerthin eto.

'Fflipin hec, 'dach chi'n deud y gwir,' medda fi, a rhuthro allan.

'Barbie bynji wiiiiii!' medda Hayls a thaflu Barbie druan mor hegar nes y saethodd hi trwy'r ffenest agored a glanio yn yr ardd ffrynt.

19.05

Newydd neud y checs olaf. Gwallt wedi sythu. Clustdlysau bach gwyrdd sparclyd. *Make up* gwyrdd-frown ac aur, a lipstic, brown-binclyd. Shryg werdd dros fest â brodwaith brown a phinc, a throwsus tri-chwarter brown, a sandals corcyn. Dwi'n meddwl mod i wedi colli pwysau hefyd ar ôl holl straen yr wythnosau dwetha, felly ma' 'na rhyw dda ymhob drwg fel ma' Nain yn ddeud.

Esh i mewn at Mam a ddudodd hi mod i'n edrych yn 'ddel iawn'. Dyma hi'n estyn am ei phwrs a rhoi £20 i mi a sws

199

ar fy moch. Ac o'n i'm yn meindio. Rhyfeddod!

Dwi'n clywed rhywun wrth y drws. Fflur, beryg. Reit, ffwr' â fi 'ta!

23.57

Wel, *am* noson! Dwi'm yn siŵr iawn ddylwn i dorri nghalon neu sgrechian mewn llawenydd.

Pan gyrhaeddodd Fflur a fi i'r cae lle roedd y gìg, roedd hi'n llawn dop yn barod. Roedd hyn yn beth da achos bod y ffactor taro ar bobl *embarrassing* (h.y. Caron, Gafyn, Jo, gweddill yr ysgol, gweddill y byd ayb.) yn llai tebygol. Basion ni Nerys K. a Catrin ar y ffor' i'r tŷ bach a dyma nhw'n sbio'n hyll arnon ni ond deud dim. Pwy oedd yn y tŷ bach o'n blaenau ond Jo. Roedd hi'n gwisgo breichled newydd.

'Ma' hwnna'n neis,' medda Fflur.

'Anrheg gan Gaf,' medda hi a gneud llygaid llo bach gwirion.

'Ti'n mynd 'da Gaf?' Roedd Fflur mewn mymryn o sioc.

'Nath Sadie ddim deud?' Roedd llais Jo braidd yn oer. Dyma hi'n sbio arna fi'n amheus.

'Sori. Ym … nesh i … anghofio.'

Trodd Jo ei sylw at Fflur. 'Presant lwc dda ydi o. At rownd nesaf *y Sioe Dalent* nos Iau!'

'Llongyfarchiadau,' medda Fflur. 'Gobeithio gwnei di ennill!' Gesh i'r teimlad nad oedd hi isio i Jo ennill o gwbl.

'Diolch. Gorfod mynd. Ma' Gaf yn disgwyl,' medda Jo, heb droi rownd.

'Ie. Pob lwc,' medda fi i gefn Jo wrth iddi fynd.

'Wel!' medda Fflur pan ddaethon ni o'r tŷ bach. 'Jo a Gaf! Grêt 'n dyw e! Fi'n meddwl bod nhw wir yn siwto'i gilydd.'

'Fel maneg,' medda fi, yn crensian fy nannedd.

Aeth y noson yn fwy gwyllt wrth iddi fynd yn ei blaen. Roedd 'na lot o bobl 'di meddwi yna, deud y gwir. Nath Fflur gynnig ella dylsa ni drio gael diod wrth y bar, ond roedd 'na tua milltir o giw, ac eniwê, beryg y basan nhw'n gwrthod 'yn syrfio ni.

Yn y diwedd, daeth Recs Ffactor ymlaen ac aeth y gynulleidfa'n *hollol* boncyrs, yn neidio a dawnsio hyd y lle. Ro'n i'n teimlo'n andros o hapus am y tro cynta ers tua mileniwm yn bownsio i fyny a lawr. Roedd o'n ffantastig!!

Yn sydyn reit, droish i mhen a sylweddoli mod i wedi colli Fflur. Dwn i ddim yn y byd sut.

Chwiliais i amdani am 'chydig, ond toedd 'na ddim sôn ac felly nesh i sefyll mewn patshyn bach ar wahân gan obeithio y gwelwn i hi. Y peth nesa, deimlish i law ar fy mraich. Caron oedd yna. Wenodd o arna i.

Dyma fi'n dechrau parablu mod i'n andros o sori am ddoe a mod i 'di byhafio fel drong sy ddim yn syndod gan mai drong ydw i a tasa fo byth isio siarad efo fi eto 'swn i'n dallt yn iawn bla bla bla.

Ddudodd Caron ddim byd, blaw chwerthin. Yn sydyn, a thrwy ryw ryfedd wyrth, dyma Recs Ffactor yn dechra canu 'Haul Fory' sef fy hoff, hoff gân i fyth erioed. Roedd o fel arwydd. Dyma Caron yn dod yn nes ata i, nes bod fy nghalon i'n gneud tin-dros-bens, a'r peth nesa roedd o wedi rhoi ei freichiau amdana i a ddechreuon ni ddawnsio dawns hir, gwtshlyd, ramantus, ffantastig, sgrymlyd. Taswn i wedi gallu, faswn i wedi pinsio fy hun i weld os mai breuddwyd oedd o. Y Fi! Sadie Wyn Jones. Lŵn mwya truenus Llanfor. Yn dawnsio efo'r Duw Rhyw!

Ar ôl tua 67 awr daeth y gân i ben. Dyma Caron yn tynnu nôl fymryn a sbio arna i. Driish i beidio edrych fel Elfis ar ôl gormod o *Chum*, er mod i'n teimlo'n hun yn colli ffocws. Ma' ganddo fo'r llygaid brown tywyll, tywyll yma sy fatha pyllau o siocled. To'n i'n methu sdopio sbio arno fo, ac am eiliad o'n i'n meddwl fod o'n mynd i nghusanu fi achos dyma'i ben o'n dechrau anelu tuag ata i, ond ar yr eiliad ola nath o sdopio, a sbio arna i a brathu'i wefus. Ollyngodd o 'i afael.

'Sori,' medda fo. 'Sori, Sadie, ond alla i ddim â gneud hyn.'

'Be? … Pam ddim?' ofynnish i, ond yr eiliad honno glywish i lais y tu ôl i mi.

'Sadie! Caron!' Fflur oedd yna. Neidiodd Caron yn ôl fel taswn i wedi'i losgi fo, ac ysgwyd ei ben arna fi, gystal â deud 'paid â deud dim'.

'Es i mas i decsto Eifion…' meddai Fflur. Edrychodd Caron a fi ar y llawr.

'Ym … sori ond fi'n gorfod mynd,' meddai Caron yn sydyn, a'i heglu hi o'na.

'Be sy'n bod arno fe?' ofynnodd Fflur fymryn yn amheus.

Drwy weddill y noson o'n i'n cadw disgwyl i Caron ymddangos o rywle a deud 'i fod o wedi cael ffrîc bach pum munud, ond 'i fod o'n iawn rŵan, a plis fasa fo'n cael fy snogio fi wedi'r cwbl. Ond ddaeth o ddim. Dwi'm wedi'i weld o wedyn.

Dwi'm yn dallt. Dwi'm yn dallt hogia o *gwbl*. Pam fasa fo'n dawnsio efo fi a sbio arna fi mor annwyl a wedyn ei heglu hi o'no fatha taswn i'n hyllbeth yr eiliad nesa. 'Di o'm yn gneud synnwyr. Ond wedyn, toes 'na fawr o ddim byd yn gneud synnwyr y dyddia yma …

Dydd Sul, Awst 30ain

12.23

O, *grêt!* Ma' Hayls y *phantom* pi-piwraig wedi taro eto …
Dim ond mynd i wylio arddangosfa 'tatws rhost perffaith'
Nain nesh i, a phan ddoish i nôl roedd 'na bwll gwlyb melyn
ar y dwfe a golwg amheus ar wyneb H. Gesh i stropsan go
wyllt wedyn, nes redodd Hayley lawr i'r gegin at Nain gan
fynnu mod i wedi 'twoi'n we'oolff'. Dim ei bai hi ydi o fod
y mywyd i'n stomp naci, bechod?

Ma' hi'n Ŵyl y Banc ac ma' Llanfor yn llawn twroids od
o Lerpwl a Manceinion. Roedd 'na resiad o garafannau'n
sownd yn ei gilydd ar y lôn, yn mynd am adre am wn i. Gesh
i'r awydd yma i daflu fy hun ar fympar un ohonyn nhw a
gadael iddyn nhw fynd â fi i le bynnag licien nhw. Unrhywle
ond fan'ma. Ar ben popeth arall, ma' Dad yn dod draw
mewn eiliad i fynd â Hayls a fi 'am dro'. Ma' Taylor yn
gweithio shifft yn y Ganolfan Hamdden ac wedi wanglo'i
ffordd allan ohoni. Eto.

Dwi'n gwbod 'i fod o'n dad i mi, ond tydw i *wir* ddim
isio'i weld o ar hyn o bryd. Jest gobeithio na fydd y llgodan
o Birmingham efo fo.

15.45

Mi roedd hi. *Ac* Yncl Kenny. *Ac* Esme. Dwi'n meddwl 'u
bod nhw'n teimlo y dylian nhw fod yn gefn i Pops. Neu bod
Dad yn rhy llipa i'n gwynebu ni ar ei ben ei hun.

Aethon ni i'r parc. Wel, ma'n anodd gwbod be i neud efo
dy dad, tydi? Fel arfer dwi'n gweld digon arno fo yn y tŷ.
Ond rŵan … ma'n rhaid gneud ymdrech i dreulio amser
efo'n gilydd.

Ma' Dad wedi colli'i dafod yn sydyn reit. Alla fo siarad
dros Gymru fel arfer. Gofish i fore cynta'r gwylia pan ddath

o ac Yncl Kenny i mewn i'n stafell i *'yn eu hwyliau'*. Oedd hi'n job cael y ddau ohonyn nhw i gau'u cega bryd hynny. Rhyfedd fel ma' petha 'di newid …

Pnawn 'ma roedd o'n deud petha fel 'Hayley, sbia ar yr hwyaid!' a wedyn dim gair am hanner awr. Roedd Esme a Dawn yn trio cadw rhyw fath o bellter parchus, ac roedd Yncl K yn hofran rhwng y ddwy garfan gan ddeud 'Wei-*hei Sei*-di' rŵan ac yn y man a dyrnu'r awyr heb reswm yn y byd.

Ar ôl cerdded rownd y llyn 120 o weithiau ro'n i'n teimlo'i bod hi'n bryd am newid.

'Gawn ni hufen iâ?' gynigish i. Roedd hyn yn ddigon o sbardun i bawb gynhyrfu'n lân, a ffwr â ni am y fan. Diolch byth toedd 'na ddim rheswm i siarad tra oeddan ni'n bwyta. Dyma fi'n syllu ar y llyn a meddwl am Caron am y milfed tro ers bore 'ma. Ac yna glywish i hen lais sbeitlyd yn fy nghlust yn deud: 'Falch bod ti'n llenwi'r *seidbord,* Sadie!' Nerys K oedd yno, efo'i brawd bach Morris.

'Cer i grafu,' medda fi, a thynnu tafod arni hi. Plentynnaidd, dwi'n gwbod, ond ma' hi wedi bod yn wythnos hir iawn …

'Wela i di'n rysgol,' medda hi, yn trio bod yn fygythiol wrth iddi woblo i ffwrdd. Hen hulpan wirion!

Yn y diwedd ro'th Dad *give-up* ar siarad, a phan ddudodd Hayls fod hi isio mynd adre, roeddan ni i gyd reit falch dwi'n meddwl. Ddaeth o ddim i mewn, mond rhoi sws i Hayls a chwtsh andros o dynn i mi.

'Cymer ofal,' medda fo, a gyrru o'no. A dwi'n teimlo'n ofnadwy, ofnadwy o drist.

18.51

OMG! Ma' *Caron* newydd fod yma. I ngweld i. Ar 'i ben 'i hun!

Ar fin mynd i gael bath o'n i a diolch byth na nesh i, achos nath o jest *ymddangos* wrth ddrws y llofft. Roedd Nain wedi agor y drws iddo fo lawr grisia.

'O'n i moyn gweud sori. Am nithwr,' medda fo. 'O'n i moyn egluro 'thot ti,' ddechreuodd o wedyn.

Ddaeth 'na gnoc siarp ar y drws wedyn, a glywish i Nain yn deud, 'Dim misdimanars i mewn yn fan'na. Ar y landin bydda i, yn clywad bob dim.' Erbyn i mi 'i pherswadio hi i fynd lawr grisia a gneud tarten afal, roedd Caron yn eistedd ar ymyl y gwely. Y Duw Rhyw! Yn eistedd ar fy ngwely i! Bu bron i mi lewygu. Eisteddish i wrth ei ochr o.

'Fedra i ddim mynd mas 'da ti, Sadie.' Suddodd fy ngalon i o dan y llawr. Gariodd o yn ei flaen. 'Fi'n rili lico ti, ti'n hala fi i wherthin ac 'yt ti'n bert.'

'Ydw i?'

'Wyt. Ond ti'n lot ifancach na fi …'

Nesh i'r sym yn fy mhen. 'Dim ond dwy flynedd. A dwi 'di aeddfedu lot dros yr haf.'

Sgydwodd Caron ei ben. 'A pheth arall, ti'n ffrindie 'da Fflur. Ma' hi'n meddwl y byd o'not ti. Dwi'n meddwl bydde fe'n … od iddi hi. Ti'n deall?'

Nesh i nodio, a wedyn ysgwyd fy mhen o ochr i ochr, ac yna nodio eto.

'Gwna dy feddwl di lan,' meddai Caron, a chwerthin. A'r peth nesa, dyma fo'n cusanu fi. Un gusan fach feddal, lyfli, sgrymlyd.

'Iym,' medda fi, cyn i mi allu sdopio fy hun, a wedyn gusanodd o fi eto. A'r tro yma roedd hi'n snog go-iawn. Tua 29 munud. Nesh i amseru'r peth efo cloc bach pinc Jo. A phan nesh i agor fy llygaid hanner ffordd drwodd, roedd 'i lygaid o wedi cau. O, mae o'n *lysh*!!!!!!

Ddaru ni stopio cusanu yn y diwedd a ddudodd Caron, 'Ddylien i heb fod wedi gneud 'nny.'

'Dwi'n falch iawn bo ti wedi,' medda fi.

'A finne 'fyd,' medda Caron.

Ac yna darodd Nain y nenfwd o lawr grisia efo coes brwsh a deud, 'Ty'd i lawr, Nymbar *seven*, ma' dy amser di ar ben.'

Chwarddodd Caron a rhoi sws fach arall i mi, a deud bod o wir yn licio fi, ond bod rhaid iddo fo fynd. O'n i'n sbio arno fo'n mynd am y drws, a wedyn drodd o'n ôl. Wenish i, a fflytran fy llygaid 'chydig bach – perffaith! A wedyn ddudodd o 'Sadie? Os rwbeth ti moyn dweud wrtha i? Ambyti'r dwfe? Fi'n 'lyb socan!'

Diolch Hayls. Diolch yn fawr! Ond wedyn sgydwodd o'i ben a gwenu a deud 'Sadie Wyn Jones? … Smo ti'n gall!' ac i ffwr' â fo.

Hip hiphiphip hwrê! Mae o'n *licio* fi! Yn licio fi llwyth. Ocê, ella bod ni ddim yn gariadon eto, ond neith cariad ffeindio ffor'. Fyddwn ni fel Romeo a Juliet, yn cyfarfod yn y dirgel ac yn snogio'n ddi-baid. 'Blaw heb y cleddyfau a'r gwenwyn a ballu yn naturiol.

O hyn allan, ma' petha'n mynd i fod yn *ffantastig*. Alla i deimlo'r peth! Ac am ryw reswm, dwn i'm pam, mi ddechreuish i ddawnsio, yn hollol, hollol wirion, rownd a rownd fy stafell, fatha lŵn.

206

ABOUT THE AUTHOR

Steph Crowley lives on top of a hill in Staffordshire where it's always foggy.

When she isn't writing, she can usually be found doing community drama projects, sipping herbal tea or operating heavy machinery.

Her ambition is one day to be the oldest person alive (which still won't be enough time to turn all her ideas into books).

ABOUT THE ARTIST

James Lawrence hails from a faraway land of Vikings and motorcycles. He spends his days drawing rad pictures and chugging iced tea.

He is the creator of the fantasy wrestling webcomic The Legend of La Mariposa.